MW00827488

Feliz vida imperfecta

Feliz vida imperfecta

Tuti Furlán

Furlán, Tuti
Feliz vida imperfecta: Descubre una forma diferente de aceptar y disfrutar tu camino
1a. ed. - Iniciativa T, S.A. Guatemala
183 p. ; 15x23cm

ISBN: 978-9929-8164-1-1
1. Psicología

Feliz vida imperfecta.
Descubre una forma diferente de aceptar y disfrutar tu camino.
1a Edición
Furlán, Tuti

www.TutiFurlan.com
ISBN: 978-9929-8164-1-1

Impresión:

Portada: Sheidy Castillo/ Carlos Silva
Edición: Andrea Castillo
Diagramación: Carlos Silva

Esta publicación fue impresa en noviembre de 2020.
La edición consta de 1,000 ejemplares en papel bond beige de 80 gramos.

Índice

A Fer y Belén:

Este no es el único camino para la felicidad.
Es solo el camino que yo he decidido recorrer.

¡Sean libres de descubrir el suyo!
Las amo siempre.

A cada uno de ustedes. Honro sus vidas y sus caminos.

¡Gracias por dejarme andar a su lado!

Prólogo

Hace algún tiempo tomé la decisión de trasladarme a una zona rural del sur de Chile, cercana a la ciudad de Puerto Varas, donde llevo ya más de un mes.

Se trata de un lugar que adquirí hace diez años, cuando los servicios de luz y agua no eran estables; un lugar que me ha llevado a enfrentar muchos retos —incluyendo sortear varias estafas— y que, al ver todo lo realizado día con día, me hace sentir inevitablemente que, más que un privilegio —dado de que el lugar es verdaderamente hermoso—, esto ha sido una conquista.

Cada paso, cada lágrima, cada logro y cada fracaso se han transformado en un transitar permanente a través de una imperfección que se acentúa con cada nuevo despertar. Todos los días, la primera pregunta es: «¿Qué es lo que pasará hoy? ¿Habrá luz, viento, agua, internet...?»

Hago referencia a esto porque, al leer el libro de Tuti —quien es mi hermana elegida—, todo cobró sentido.

Sí, decidí venir a un lugar muy imperfecto; pero, justamente por eso, perfecto para mí, porque me enfrentaba a lo natural, a lo simple, a volver al origen. Es como descubrir la maravilla de lo incómodo y de cómo eso pasa a ser perfecto según cómo lo veas.

Mi amiga dice en alguna parte de su hermoso texto que «la vida no es lo que vives, sino lo que crees que vives». Esta lectura sobre la imperfección/perfección de la vida es una invitación a hacer un cambio de paradigmas o, por lo menos, a observar todos aquellos que han gobernado nuestras vidas por siglos; una invitación a cuestionar, sin juicios y desde el amor propio, aquellas afirmaciones, instrucciones y mandatos con los cuales hemos crecido y que, sin darnos cuenta, nos han hecho tanto daño. Es, además, una invitación a valorar lo lindo, lo bueno y lo luminoso de la vida y también a agradecer lo oscuro, lo que duele o lo que a todas luces pudiera ser considerado negativo.

En este libro, la autora te anima a reconocer que tu vida es perfecta hoy mismo y con todas sus imperfecciones, siempre y cuando tomes una actitud de aprendiz frente a ella, y que es en ese misterio de aceptación donde está la gran riqueza no solo de lo que hay que aprender, sino también de lo que hay para disfrutar.

Cuando Tuti dice que «con lo que hoy ya tienes, puedes vivir a colores», tiene —en mi humilde opinión— mucha razón; aunque reconozco que no es fácil llevarlo a la práctica todos los días. En este libro encontrarás formas didácticas y concretas para hacer la tarea un poco más sencilla.

Al leer este libro, no solo escuchas a Tuti hablar como lo hace cotidianamente —incluso la oyes reír a carcajadas con esa sonrisa que debe ser de las más hermosas que conozco—, sino también la encontrarás seria cuando es necesario. La ves, como pocas veces, mostrando sus vulnerabilidades, llamándolas «vida imperfecta» y compartiendo con toda su honestidad sus aprendizajes sobre ella.

Quiero aclarar que este libro no es un exceso de positivismo negador, sino que —muy por el contrario—, es una invitación a mirar con otros ojos esos días grises y ver qué color te pueden ofrecer desde ahí. Es un homenaje a lo que yo llamo ser positivo vulnerable.

Asimismo, este texto está lejos de ser una autorreferencia; es, más bien, un camino, una llamada de atención a los que, consciente o inconscientemente, se colocan como víctimas en el curso de lo que les pasa en la vida.

Cuando leas este libro, hazte todas las preguntas que quieras; descubrirás que la felicidad no tiene nada que ver con la alegría —como decía yo en mi investigación— y que se parece más a la paz y al silencio que al ruido y al placer. Este libro es un camino hacia la maravilla que es lo imperfecto, a dejar de buscar respuestas afuera y a empezar a viajar hacia adentro, donde seguramente está todo.

Si siempre me ha gustado y me llena de placer escuchar a mi Tuti querida, tengo que reconocer que leerla en este libro, además, me enorgullece. Amiga mía, estás más grande, más libre en tu interior, y gozosa y agradecida como siempre. Te siento más profunda y con mayor grado de consciencia.

A ti, lector, te invito a hacer un viaje por tu perfección y por aquellas partes de ti o de tu historia que son imperfectas y que, a la luz de esta maravillosa mujer, también son perfectas así como están.

Solo falta cambiar el miedo por la curiosidad y vivir el desafío.

Pilar Sordo

Psicóloga, conferencista y escritora chilena

1

¡Vida perfecta!

Sí... imagino que eso de la «vida perfecta» llamó tu atención. Y lo pudo haber hecho de dos formas:

«Yo quiero una vida perfecta y, si la Tuti encontró la fórmula, ¡que me la comparta!» o «¡Cuándo no, la Tuti y sus disparates! Ahora cree que existe una vida perfecta.»

Para ambas posturas, mi respuesta es sí. Sí, creo que he encontrado la manera de tener una vida perfecta. ¡Es en serio! ¿Y por qué la quiero compartir contigo? Porque creo que, dando a conocer lo que me ha hecho bien a mí, podría también hacerle bien a alguien más y luego a otro más y así... Pero, para tener esta vida perfecta, hay que hacer algunos cambios en la manera en que nos sintonizamos con la vida, con el mundo, con nosotros mismos y con los demás. ¿Estás listo?

Debo advertirte algo en caso estés cómodo en la vida que tienes —todos tenemos derecho a elegir cómo vivir la vida, ¿no?— Y es que, una vez te sintonizas con esto que quiero compartir, es probable que no haya marcha atrás.

Es como cuando alguna vez tuvimos televisores que utilizaban antenas de conejo y la imagen transmitida estaba distorsionada; entonces, un miembro de la familia —recuerdo que nos cedíamos el «honor» entre los presentes de ir a mover esas antenas, en algunas casas sustituidas por perchas (o «cerchas» como las llamamos en Guatemala) de metal— hasta lograr que la imagen fuera perfecta. En ocasiones, el individuo en cuestión debía permanecer al lado del aparato tocando levemente la antena porque, si se retiraba, la imagen se volvía a distorsionar. «¡No te muevas, quédate allí!» le decíamos cuando veíamos que desmejoraba la imagen si se alejaba. «¡Queremos una imagen perfecta!» Sí, es natural que nos guste ver las cosas con claridad y eso es lo que pretendo a través de este libro: mover las antenas de tu televisor para mostrarte de una forma diferente la imagen que se proyecta en él, para que tú mismo decidas cómo te gusta más ver la película de tu vida.

Estoy muy emocionada de poder ordenar todas estas ideas, conceptos, ejercicios y retos que me acompañan desde hace varios años y que me han ayudado a encontrar la vida perfecta para ser feliz.

Aunque, ¿te digo algo? ¡Ya no quiero ser feliz! Ahora te explico.

2
Ya no quiero ser feliz

¿Cómo así? La Tuti, esa mujer sonriente y optimista que «vive a colores», ¿ahora dice que ya no quiere ser feliz?

Sí, sé que yo he sido una de las muchas abogadas de la felicidad. Sé que he promovido, compartido y hasta intentado contagiar felicidad. Pero también voy evolucionando y aprendiendo. Y, a estas alturas de mi vida —¡aguanta!— me he replanteado el asunto.

Déjame contarte un poco de mi historia personal para explicar mejor esta nueva postura.

«La Tuti»: niña risueña —mi mamá decía que, cuando me reía, se me ponían los ojitos como de media luna—, extrovertida, bailarina, cantarina, oradora, declamadora y actriz. Subir al escenario para mí siempre ha sido un verdadero placer, una pasión. Pasión que, además, con el correr del tiempo —y a media carrera de Psicología Clínica— me llevó a incursionar en los medios de comunicación, radio y televisión.

Durante los últimos 20 años, he estado trabajando en distintos proyectos mediáticos. Lo que todos ellos han tenido en común es que me han permitido mostrarme a la audiencia tal y como soy: escandalosa para reír, ocurrente, un poco ingenua —sobre todo en los inicios—, extrovertida, divertida y cariñosa. Sé que lo que me dio una gran ventaja para construir la carrera mediática que tengo fue la autenticidad y el entusiasmo con los que he procurado entregarme en cada tarea. En resumen: estuve en seis proyectos radiales, así como en cinco televisivos, y colaboré en revistas e impresos, entre otros. En todos, mi objetivo ha sido contagiar optimismo, buen humor y actitud positiva para ser buena compañía para la mañana, el medio día o la noche, según sea el caso. En conclusión, busqué provocar una sonrisa y el bienestar en la audiencia. Y en la mayoría de espectadores —ya ves que siempre hay excepciones— creo que el objetivo se logró.

Así es como «Tuti Furlán» se empezó a asociar con felicidad y positivismo. ¡¡Y me encantó!! ¿A quién no? Decidí, entonces, fusionar mis conocimientos de psicóloga con mi histrionismo y capacidad de comunicar para empezar a dar conferencias y compartir todo eso que me hacía una persona «feliz». Empecé entonces a caminar un trayecto de investigaciones, búsqueda de información, estructuración de ideas, pensamientos, pruebas y demás para lograrlo. ¡¡Y comenzó a funcionar!!

Después de casi diez años de estar en estos pasos de «conferencista», «motivadora», «inspiradora», «transformadora», «*speaker*» o el título que quieras ponerme, me doy cuenta de que hemos manipulado tanto el término «felicidad» —sí, así con minúsculas y comillas— que se ha entendido mal, que se ha simplificado y banalizado.

«¿Cómo hace para reír todo el tiempo?» y «¡Una persona no puede ser tan feliz como usted!» son comentarios y preguntas que he escuchado alrededor de mi «felicidad».

Quiero aclarar que mi trabajo en todo este tiempo ha sido, en buena parte, contactar con ese lado mío sonriente, positivo, optimista y «feliz». Entenderás que, por ser un trabajo que se expone mediáticamente, es natural que cada vez que me veas o me escuches, te encuentres con mi lado «feliz y sonriente». ¿Estoy fingiendo? No. Auténticamente he disfrutado de mis trabajos y he procurado entregar lo mejor de mí a través de esa parte alegre, bullanguera, risueña y optimista, pero no quiere decir que me la pase riendo todo el día, no.

Acepto que disfruto de una buena carcajada y del intercambio de sonrisas con cualquier persona. Disfruto de esa sensación que te da un momento divertido, cuando te duele la panza de tanto reír, del júbilo de una fiesta y de bailar, de la emoción de estar en ese concierto en el que te sabes todas las canciones y las coreas a todo pulmón, de un regalo sorpresa que te saca las lágrimas, de una meta alcanzada y las ganas que te dan de gritar al hacerlo, de ganar alguna competencia, de reencontrarte con un viejo amigo, de salir de viaje a un nuevo lugar, de abrazar con todas tus fuerzas a esas personitas que tanto amas, de enamorarte —¡cómo dejar fuera al amor!— y de tantas situaciones más que te hacen recordar que la «felicidad» viene empacada de muchas maneras.

Entonces, si yo no he ido a un concierto o no río a carcajadas o no bailo ni canto, ni he ganado nada y acaba de dejarme mi pareja, ¿quiere decir que no puedo ser «feliz»?

¡A ese punto quería llegar! Porque hemos entendido mal la «felicidad» —con minúsculas y entre comillas—:

Inés es muy sonriente = seguramente es feliz.
Roberto tiene un muy buen salario = ha de ser feliz.
Miguel viaja todo el tiempo = claro que es feliz.
Los Guzmán tienen casa nueva = por supuesto que son muy felices.

Así de claro y simple: dos más dos, son cuatro. Pero no funciona así. Quiero hacerte tres preguntas:

La primera: ¿qué te haría feliz en este momento? Piénsalo y nota ese montón de respuestas que das que, en general, tienen que ver con cosas que agregaste a este momento, cambios que obtienes de lo que hoy eres, haces o vives, relaciones diferentes a las que mantienes actualmente y situaciones muy distintas a las que experimentas ahora.

La segunda: ¿piensas que lograrás tener eso que crees que te haría feliz? Puede ser que para algunos venga un «sí» con mucha confianza y para otros puede aparecer por allí un «no» decepcionante, y para algunos más la respuesta puede ser un «no lo sé».

Regresa ahora a este momento, este instante, mientras lees esto, ahora cuando aún no tienes eso —independientemente de que creas que lo conseguirás o no—. Aquí y ahora no lo tienes, eso lo tenemos claro, y crees que te puede dar mucha felicidad, ¿verdad? Pero, en cuanto respondiste la primera pregunta, de alguna forma visualizaste que estarías feliz en el momento en que vieras eso concretarse en tu vida; lo que, por consecuencia, revela que ahora mismo, sin eso, no te consideras feliz, al menos no del todo en ese aspecto específico en el que pensaste.

Y aquí viene la tercera: si nunca llegara a pasar o nunca lograras conseguir eso que deseaste para ser feliz, ¿crees que podrías ser feliz igualmente? Honestamente, ¿eh? No se vale hacerse el optimista empedernido o el dramático irremediable.

Hemos entrado en el juego de creer que en nuestra vida deben pasar muchas cosas para que seamos felices y cada vez más felices: crecer, enamorarnos, estabilizarnos, terminar estudios, trabajar, ganar dinero, más dinero, tener cosas, más cosas, formar una familia, viajar, tener una casa, poder comprar cosas para nuestra familia, cambiar de casa por una más grande y más bonita, que nuestros hijos sean bien portados, poder dar a nuestros hijos todo eso que nosotros no recibimos, tener un negocio, que vaya bien el negocio, ser exitosos y reconocidos, tener más tiempo para la familia, que no se vayan los hijos de la casa, ahora mejor que se independicen nuestros hijos, cambiar de pareja, ahora que no me cambie mi pareja —sí, a veces somos así de contradictorios—, tener salud, poder curarme, que no fallezcan mis papás, jubilarme, una buena herencia, no quedarme solo... y la lista sigue y sigue y sigue... Podría seguir escribiendo cosas que, a lo largo de la vida, vamos esperando que nos hagan felices cuando lleguen. Y si ya las tenemos y no nos sentimos felices, nos preguntamos qué salió mal.

Y no es que estas cosas no nos den momentos de satisfacción. ¡Claro que si vamos construyendo esto y más, los tendremos! Pero eso es solo la sensación de que todo está bien cuando todo camina como lo planificaste. Y eso *no* es FELICIDAD —sí, esta es con mayúsculas—.

Si, como humanidad, seguimos insistiendo en que «felicidad» es todo eso que conseguimos de afuera y logramos hacia afuera, que nos da alegría, júbilo, euforia, risas y bienestares pasajeros... mantendré mi postura en decir que ya no creo en la felicidad. ¡Ya no quiero ser feliz!

Para mí, la FELICIDAD es menos escandalosa, más discreta y sin exclusividades. Para mí, la FELICIDAD, la de verdad, es más profunda, más quieta, menos exigente y más parecida a la paz interior.

Y eso es lo que hoy quiero compartir contigo, a través de este libro: mi camino en esta «vida de colores», como me gusta llamarle. No puedo decirte cuál es *la* receta para tener una vida «perfecta» porque simplemente no la hay. ¿Sabes por qué? «Porque no existe.» Es lo que esperas que responda, ¿verdad? Pero mi respuesta es otra. No puedo decirte cuál es *la* receta para tener una vida perfecta, porque hay millones de formas de tener una vida PERFECTA. Cada uno debe descubrirlo y sí, te voy a decir cómo ha sido *mi* camino y cómo eso me ha llevado a encontrar esa calladita, tímida y grandiosa vida PERFECTA.

Empezaré dándote la primera regla: ¡no busques la felicidad!

3

Renuncia a la búsqueda de la felicidad

¿Que qué? Así como lo leíste... ¡No busques la felicidad! Es más, ¡renuncia a la búsqueda de la felicidad!

Sí, ya sé, ahora sí me la volé, ¡ja ja ja! ¿Cómo así que «no busque la felicidad»? Pero, si eso es precisamente lo que todos los seres humanos hemos buscado desde el inicio de la existencia misma, Tuti.

Lo sé, si yo también la he buscado. Vamos poquito a poco. Si yo te digo «busca tu felicidad», ¿qué pasará?

Lo primero que generalmente pasa es algo que tiene relación con la pregunta que respondiste anteriormente, en donde te das cuenta de que, para empezar a buscar dónde está, empiezas a hacer un recuento y revisión de dónde no está; empezarás a notar todo lo que te falta o aún no has conseguido para ser feliz. Y entonces puede pasar una de dos cosas: te frustras o te retas.

Si te frustras, creerás que no lo conseguirás y seguirás pensando que serás feliz solo cuando consigas ciertas cosas, vivas ciertas experiencias o encuentres a ciertas personas. Si te retas, será una fuerza muy bonita que te impulse a alcanzar esas metas.

El asunto es que, mientras estás en ese camino, podrías pensar que aún no puedes ser feliz hasta que llegues a ese punto que identificaste como «felicidad». Y, cuando llegas, te da una gran satisfacción. ¡Lo lograste! ¿Y ahora? Entonces, te das cuenta de que la felicidad obtenida por alcanzar esa meta es pasajera, porque ahora necesitarás buscar y avanzar en pos de otro objetivo donde transfieras esa «felicidad», ¿me sigues?

Pero, hay algo más. Para quienes tienen ese ímpetu de lograr cosas, para quienes tienen la bendición de tener oportunidades con mayor facilidad, para quienes disponen de más recursos, para quienes son más extrovertidos y más movidos en la vida, seguramente conseguir y lograr esas metas será más fácil. Yo no digo que otras personas que no tienen todo lo anterior nunca lo lograrán, no. Afortunadamente, seguimos conociendo historias de verdaderos luchadores que, a pesar de las adversidades y carencias de sus vidas, logran grandes cosas. Aún así, me parece que hay muchos —muchísimos— que no entramos en el grupo de los que «lo tienen todo» ni en el de los que «lucharon por todo». ¿Y entonces? ¿Estamos condenados a la infelicidad? ¿Cómo así que para unos la felicidad es más fácil de conseguir que para otros? ¿Cómo así que parece que unos tienen más «derecho» de ser felices que otros?

Estas y otras preguntas me rondaban la cabeza un día mientras revisaba los mensajes que escriben en mi canal de YouTube. Encontré uno que decía algo así como: «No es tan fácil ser feliz y sonreír cuando la vida te ha golpeado duro. No es algo que aspiro ya en mi vida: ser feliz.»

Me impactó muchísimo y pensé: «yo no conozco la historia de esta persona y, por lo tanto, no puedo juzgarla de pesimista, aguafiestas o negativa». Y, como estoy convencida de que todos tenemos derecho y capacidad de ser felices, me di cuenta de cuánto malinterpretamos la «felicidad». «Probablemente —pensé— a esta persona le cuesta sonreír y por eso cree que no puede ser feliz, probablemente sus vivencias dolorosas o difíciles la hacen pensar que se le negó el derecho a la felicidad, que su vida y sus experiencias no entran en ese concepto de felicidad» —en eso que yo llamo «el conjunto de la Felicidad (F)»—, del que les hablaré en el siguiente capítulo.

Me pareció que esta persona fue muy valiente al reconocer que se siente fuera del grupo de los que «buscan ser felices». Me atrapó fuertemente su frase: «Ya no aspiro a la felicidad» y pensé: «¿Cuánto nos atormentamos en la vida porque creemos que debemos buscar la felicidad?» Deja que te repita la pregunta: *¿cuánto nos atormentamos en la vida porque creemos que debemos buscar —y, por lo tanto, encontrar— la felicidad?* Sí... esa escabullidiza felicidad que nos hace pasar tantas frustraciones, decepciones, dolores, estrés, miedos y mil cosas más porque estamos en esta vida para «ser felices». ¿Te das cuenta de lo absurdo que es esto?

Creemos que cuando logremos ese cuerpo de revista seremos felices y pasamos una buena parte de la vida sintiéndonos mal y avergonzados de nosotros mismos mientras sometemos a nuestro cuerpo a mil sufrimientos; creemos que cuando tengamos ese puesto de trabajo seremos felices y atravesamos años de humillaciones, accedemos a participar en trampas, sacrificamos a la familia y hasta nos enfermamos; creemos que cuando logremos ese título, ese salario, ese carro, ese estatus o ese estilo de vida seremos felices, y arrancamos una carrera desenfrenada de luchas, competencias, envidias, excesos, renuncias y sacrificios de los más dolorosos; creemos que cuando nos graduemos, cuando nos casemos, cuando nos divorciemos, cuando nos contraten, cuando nos jubilemos, cuando tengamos hijos, cuando nuestros hijos crezcan, cuando se vayan de casa, cuando nos pongan atención, cuando encontremos una buena pareja, cuando nos visiten, cuando nos dejen en paz, cuando... cuando... cuando... ¡entonces seremos felices!

Tal Ben Shahar, un reconocido profesor y escritor especializado en psicología positiva, lo llama «la carrera de ratas» y se refiere a cómo sacrificamos nuestro presente por la ilusión de que el futuro traiga eso que nos han dicho que nos hará felices. Es una carrera donde perseguimos, sin cesar, eso que creemos que nos hará bien. Y la carrera, él comenta, la iniciamos desde pequeños: debemos sacar buenas notas para asegurarnos un buen futuro —nadie nos dice que disfrutemos de aprender y convivir con los compañeros, por ejemplo— y nos cargamos un estrés terrible mientras arrancamos la carrera de la aceptación, de la complacencia y de la apariencia; mientras esperamos con todo el corazón que el año escolar finalice para poder dejar de correr tras las notas que, según entendimos y aceptamos, son el medidor perfecto del éxito. Y así pasarán los once o doce años que dure el cole. Y luego viene la universidad —porque sin título no somos nadie en la vida, nos dijeron— y la carrera sigue. Entendemos que no solo es el título, sino ser el mejor en la profesión lo que garantizará el éxito y la felicidad en el futuro, así que allí vamos hacia una nueva carrera —aún nadie nos cuestiona si estamos satisfechos y apasionados, si nos gusta aprender de esa forma o si nos sentimos realizados o no—. Las preguntas de la sociedad girarán alrededor de nuestro desempeño medido en notas y en títulos porque, si las tenemos, nos dicen, nos darán un trabajo extraordinario y bien pagado. ¡Justo lo que queríamos! Por fin termina la tortura del estrés académico para sentir libertad, independencia y felicidad. Y se nos presenta la oportunidad de tenerlo a cambio de dedicar nuestra semana entera a un trabajo donde tendremos que correr, estresarnos, enojarnos, frustrarnos y sufrir.

Tal Ben Shahar hace la aclaración de que este ejemplo no quiere decir que todos los que son entregados en sus estudios y trabajan mucho están en esta carrera, hay quienes disfrutan auténticamente estas situaciones y para ellos no representa una carrera. Me parece que cada uno puede identificar si está en una carrera de ratas o no, si nos sentimos arrastrando una gran carga o no. Si nos sentimos persiguiendo algo que parece no llegar y que, cuando finalmente llega, la satisfacción dura unos cuantos días y luego viene otro vacío que nos invita a seguir corriendo, a seguir persiguiendo lo que creemos que nos dará felicidad.

¿Y si no se trata de perseguirla? ¿No será que la felicidad se nos escapa tanto de las manos precisamente porque nos empeñamos en «buscarla», «conquistarla» o, peor aún, «aprisionarla»?

Recuerdo la gran lección que una persona muy querida me dio en sus últimos días de vida. Siempre había sido una persona que yo consideraba luchadora, aguerrida, optimista y con ganas de sacarle hasta la última gota al jugo de la vida. Unas semanas antes de partir la vi deteriorada, cansada y con la determinación de ya no seguir ningún tratamiento más.

—¿Ya no quieres vivir?— me atreví a preguntar.
—Al contrario, porque quiero vivir y dejar de pelear es que hago esto. La vida no fue hecha para retenerla, sino para dejarla fluir y disfrutarla mientras la tengas. Ya no la quiero sufrir, la quiero vivir. Y si esto me toca vivir, aunque sea por un pequeño período más, estoy en paz.

Por eso planteo lo siguiente: ¿qué tal si para ser felices empezamos por dejar de perseguir, de buscar, de luchar, de incansablemente corretear la felicidad? Esa felicidad que nos venden, esa felicidad que se consigue con condiciones que solo unos cuantos pueden obtener, esa felicidad que nos divide, que nos hace diferentes, que nos separa y nos hace pelear unos con otros, que nos hace juzgar y señalar, que nos hace sentir superiores a los demás —estarás de acuerdo con que todo esto que describí es exactamente lo opuesto a FELICIDAD—. Y aún así nos empeñamos en perseguirla a costa de cualquier cosa, a costa de nosotros mismos, incluso. Es triste.

Por eso mi propuesta es *renunciar a la búsqueda de la felicidad.* ¡Ya no querer ser feliz!

Bueno, pero... ¿por dónde empiezo?

4
El conjunto de la Felicidad (F)

Lo prometido es deuda. Por eso, ahora te hablaré del «conjunto de la Felicidad (F)». Para esto, me pondré un poco matemática, pero te prometo que no será nada complicado.

¿Recuerdas a la persona que ya no aspiraba a ser feliz por las experiencias tan duras que había vivido? Se estaba excluyendo de los que se consideran felices, estaba marcando un «no pertenezco» al «conjunto de la felicidad».

Como todo conjunto, este tiene también sus elementos y estos han sido incluidos en el conjunto según la época, según quién tiene el poder, según los valores que sostiene la sociedad del momento, según los intereses, las tendencias, los conceptos y hasta ciertas imposiciones.

Así que, para nuestra época, el «conjunto de la felicidad» se representaría algo así:

F ={momentos de alegría, risas, júbilo, cosas bonitas, oportunidades, aceptación, aplausos, casa grande y moderna, satisfacciones, orgullo, valoración, amor, abundancia económica, vida fácil, «belleza» física, salud, aprobación, reconocimiento, condición física, éxitos académicos, hijos obedientes, pareja fiel y atractiva, viajes, miles de amigos virtuales, fama, *likes* y corazoncitos}

Claro que a esto le podríamos agregar mucho más; pero, tomando en cuenta esta línea, entendemos que —como en matemática—: {momentos dolorosos, seriedad, obstáculos, lágrimas, frustración, retos, enojos, pérdidas, pobreza, vulnerabilidad, sencillez, debilidad, enfermedad, etc.} no pertenecen al conjunto F.

¡Y eso no me parece! Estamos de acuerdo en que la FELICIDAD tendría que ser algo mucho más profundo e incluyente, ¡tiene que serlo!

Pero, digamos que no. Digamos que realmente la verdadera FELICIDAD *sí* es excluyente y que la vida es un juego donde más de 7 mil millones de personas existen en un mismo planeta para tener vidas infelices, mientras unos pocos —los que sí cumplen a cabalidad con todos los requisitos del «conjunto de la felicidad (F)»— tienen derecho a ser felices. Si así fuera la cosa, entonces lo más importante en la vida tal vez no sea ser felices, ¿estás de acuerdo?

Hay algo en la fórmula que debería cambiar.

Se nos ha enseñado —y también se nos ha vendido... ¡y nosotros lo hemos comprado!— que felicidad (F) es igual a momentos perfectos (P). O sea, F=P, y creo que allí está el gran problema.

¡También hemos entendido mal P!

5
Mi vida perfecta

No quiero que esto suene petulante... Y te pido que trates de no generar ningún juicio mientras te describo en algunas páginas «mi vida perfecta».

Mis papás me esperaron durante nueve meses y, seguramente, al enterarse de que venía alguien más a la familia —porque ya estaba mi hermana Gaby de año y medio esperándome también, o al menos eso creo, ja ja ja...— desearon que fuera un embarazo «perfecto», sin complicaciones, mi mamá gozando de buena salud, haciendo los chequeos de rutina, comiendo sano, no atravesando por muchas emociones fuertes, procurando que ho hiciera muchas fuerzas físicas, sin accidentes, recibiendo mucho cariño y pidiendo a Dios que viniera un bebé en «perfectas» condiciones. «En ese entonces» —me contó mi mamá hace unos meses riendo— «no podíamos saber si venía niño o niña y nos tocaba esperar el día del nacimiento para sorprendernos.»

Embarazo de mi mamá: ¡P de «perfecto»! Ahora a esperar a que venga un bebé perfecto. ¿Y qué es un bebé «perfecto»? Pues, un bebé saludable, con todos sus órganos y partes del cuerpo como el libro de anatomía de la época mandaba, desde la uña más pequeña del pie, pasando por el peso, la talla, los latidos de su pequeño corazón, los reflejos que coincidan con la norma; es decir, con lo que se considera bueno y perfecto para un bebé.

Cuando llegó el momento del parto, mi mamá rompió fuente y fue directo al hospital, un lugar «perfecto» para nacer. Cuando ingresó, fue evidente que ya iba completamente lista para dar a luz, con los «perfectos» 10 centímetros de dilatación, por lo que la dirigieron de emergencia a sala de partos.

Siempre he escuchado encantada, confieso, cómo mi mamá cuenta la anécdota de mi nacimiento con gran alegría y orgullo: «Tu papá llegó al mismo tiempo que yo al hospital —él venía de su trabajo a 30 kilómetros del lugar— y entró conmigo a la sala de partos, me pusieron en la camilla sin epidural ni nada; el doctor entró corriendo y, al ver que ya venías, me dijo que pujara y, al hacerlo, casi sentada, sentí cómo te escabullías fuera de mí y te vi salir... ¡A la primera saliste entera! Fue un parto... con P de —sí, adivinaste— «perfecto».

Fui creciendo y siempre fui una niña muy tranquila, obediente, risueña, bailarina y juguetona. Crecimos, Gaby y yo, siendo muy amigas, casi sin pelear, queriéndonos y cuidándonos mucho, siendo hijas y hermanitas «perfectas».

Entré al cole y fui muy buena estudiante. Me encantaba poner atención, aprender, participar y ¡hasta hacer tareas! Entendí muy rápido que las buenas notas y el buen comportamiento eran importantes para ser una alumna «perfecta». ¡Y lo fui! En general, solía destacar en casi todas las actividades en las que participaba: gané concursos de declamación, fui presidenta de mi clase varias veces, abanderada varias veces, estuve en el equipo de baloncesto —allí no fui tan buena, ja ja ja...—, ingresé en el ensamble de marimba, fui aceptada en el coro —y fui solista una vez, aunque aún no me la creo— y jugué en el equipo de voleibol —llegué a ser titular de mi equipo en ligas mayores y también de la Selección Juvenil de Guatemala—. El año en que decidí retirarme del voleibol, ingresé a ser parte del equipo de natación, con el que gané un par de medallas en competencias intercolegiales. El año siguiente se abrió el taller de teatro en el colegio y fui de las primeras alumnas en ser llamada para participar en teatro profesional.

Recuerdo una vez que en el colegio nos pusieron a hacer el ejercicio de escribir en un papel las cualidades y los defectos de nuestras compañeras. Cada una preparaba una hoja dividiéndola en dos. En un lado debíamos poner la palabra «cualidades» y, en el otro lado, la palabra «defectos». Luego, la teníamos que pasar a nuestra compañera de atrás para que ella pusiera una cualidad y un defecto de la dueña de la hoja y luego volverla a pasar a alguien más. Así recorrería la hoja por los escritorios de varias compañeras hasta que otra vez volviera a su dueña original para enterarse de qué defectos y qué cualidades sus compañeras veían en ella. Yo me sorprendí muchísimo cuando la hoja con mi nombre regresó a mí sin un solo defecto escrito. La columna de cualidades tenía muchísimas palabras bonitas y la de defectos estaba en blanco. «¡Es que ella es perfecta!» dijo alguna compañera. Y debo confesar que, en ese momento, me halagó mucho.

Traté siempre de defender causas nobles: procuraba tomar en cuenta a quienes eran rechazadas, defendía a las maestras que eran humilladas por las alumnas, denunciaba cuando se cometía alguna trampa —sí, yo era de las que no daba copia y fui quien comentó en dirección que alguien habían robado un examen, porque no me parecía correcto—. Tenía muchas amigas, frecuentemente hacía apostolados o visitas a lugares de personas necesitadas y era de las que generalmente eran llamadas para representar al colegio en cursos de líderes y actividades de ese tipo ante otros colegios. Sí, me gané el título de «nerda», pues siempre tuve excelentes notas, y de «santa», título que me quitaron cuando tuve mi primer novio a los 16 años. Y yo me sentía orgullosa de estos títulos y de la manera en que era percibida, porque era parte de ser y tener una vida «perfecta».

Me gradué como la bachiller #1 de mi promoción por promedio de notas. Pertenecía al grupo de jóvenes de la parroquia y al grupo de catequistas para los niños de primera comunión. No tomaba, no fumaba y no bailaba pegado. ¡«Perfecta»!

Entré a la universidad a estudiar Psicología Clínica y, gracias al teatro, me empezaron a contratar para hacer algunos comerciales de televisión y radio con los que pagaba mis estudios. Un año después, se me abrieron las puertas de los medios de comunicación fácilmente y así, mientras aceptaba trabajos en radio y televisión, la «Tuti Furlán» comenzaba a sonar.

Así despegó mi carrera como comunicadora —a pesar de que no estudié para serlo— y empecé a darme a conocer y a recibir el cariño y la aceptación de la gente en todos estos proyectos mediáticos... ¿Qué más «perfecto» podría ser todo?

Finalizando mi carrera de Psicología, surgió la posibilidad de ir a estudiar actuación cinematográfica en Barcelona, España, y me fui un par de meses a hacerlo. Afortunadamente, un buen amigo que conocí en los primeros años de universidad vivía en ese entonces por allá mientras estudiaba cinematografía, así que me ayudó con el alojamiento, a unas pocas cuadras de la Plaza Cataluña. Estudié, viajé y conocí un poco más de España y un par de países cercanos... ¡«Perfecto»!

Regresé a Guatemala y recibí ofertas de trabajo otra vez en radio. Una de estas ofertas en el programa matutino de radio de mayor *rating* y aceptación en ese momento y un salario bastante cómodo para una persona soltera... ¡«Perfecto»! Acepté el trabajo y así fue como logré independizarme y llevar a «La Tuti» a otro nivel. Decidí irme a vivir sola para aprender a ser responsable de mí misma al 100%, tenía mi propio carro, terminé mi tesis y logré obtener el título de licenciada en Psicología Clínica.

Pasaba todo eso en mi vida cuando conocí a Carlos, el hombre de mi vida, un extranjero recién llegado a Guatemala, simpático, ejecutivo de un nuevo proyecto de comunicación en el país, seguro de sí mismo, independiente, trabajador, con gran sentido del humor y buen conversador, vivía también solo y recibía beneficios de la compañía a la que pertenecía. ¡«Perfecto»!

Nos gustamos de inmediato, fue «atracción a primera vista». Empezamos a salir juntos y, rápidamente, como en las películas, supimos que queríamos construir una vida juntos. Nos comunicábamos sin pelear, conversando, nos apoyábamos en todo lo que podíamos. Viajamos juntos, logramos ahorrar para comprar nuestra primera casa y planificar nuestra boda en uno de nuestros lugares favoritos, Antigua Guatemala. Mientras esta relación tan armoniosa se desarrollaba, me ofrecieron ser la copresentadora principal de uno de los programas matutinos de televisión más importantes y con mayor aceptación en mi país, en el que estuve por casi ocho años y donde mi carrera televisiva se consolidaría... ¡Todo «perfecto»!

Carlos me pidió matrimonio durante el programa de celebración de mi cumpleaños, que se transmitió en vivo —aún se puede ver el clip en YouTube si buscas «compromiso Tuti»— y fue durante todos estos años de programa que mi familia empezó a crecer.

Al poco tiempo de casados, decidimos que emprenderíamos la aventura de formar una empresa y allí arrancó «Iniciativa T», con la que hemos logrado hacer muchísimas cosas bonitas y positivas. A los casi dos años de casados llegó nuestro primer gran tesoro de la vida, Fernanda —una bebé que también coincidió con el concepto de ser anatómicamente «perfecta»— y empezó un camino maravilloso de ternura, aprendizaje y amor de papás. A los dos años y después de unos meses llenos de energía y vitalidad —fin de un embarazo «perfecto»—, llegó nuestra «perfecta» y maravillosa Belén y, con ella, muchas bendiciones, oportunidades, más amor y armonía a todo nivel.

Llevamos juntos 15 años como pareja, tenemos dos hijas extraordinarias, una gatita, un gatito y una linda y feliz vida familiar y profesional. ¡Vida «perfecta»!

A estas alturas de la lectura, probablemente estés pensando una de dos cosas:

«¡Qué dichosa la Tuti! ¡Qué vida perfecta ha tenido!» o «¡Qué insoportable la Tuti que presume su vida perfecta!»

Quería hacerlo de este modo porque sé que eso es lo que, probablemente, quienes han compartido parte de mi camino, piensan de mí y de mi vida: «La Tuti ha tenido una vida perfecta, con qué razón es feliz.» Y sí... esa que te narré ha sido una parte hermosa de mi vida.

Pero, ahora, quiero contarte un poquito más...

6
Mi vida imperfecta

Nací en 1978 en Guatemala, en medio de la Guerra Civil o Conflicto Armado Interno, justamente cuando iniciaban los años más crueles y sangrientos de mi país. Se calcula que, producto de este conflicto que duró 36 años, fallecieron más de 200,000 personas y se reportaron más de 45,000 desparecidos y más de 100,000 desplazados. Podría decir que mi infancia transcurrió mientras todo esto sucedía.

Hace unos días íbamos con Fernanda y Belén en el automóvil cuando nos rebasó un vehículo militar que transportaba cinco soldados, cada uno cargando su respectiva arma. Las niñas los vieron y me hicieron algunas preguntas, como «¿a dónde van?» «¿por qué llevan armas?» «¿pasa algo malo?» En ese momento, mi primer impulso fue decirles que no los vieran; pero, antes de pronunciar las palabras, me di cuenta de que esa respuesta era exactamente la misma que mi mamá nos daba de pequeñas cuando, sin entender mucho de lo que sucedía, hacíamos las mismas preguntas cuando pasaban vehículos militares con hombres armados cerca de nosotros. En ese momento imaginé el terror que seguramente mi mamá sentía al ver despliegues militares mientras ella se trasladaba con nosotras, sus hijas pequeñas, sola. Ella sí sabía que no solo se estaban trasladando, sino que muy probablemente venían o iban a algún enfrentamiento; imagino que ella rezaba para que no pasara nada cerca de donde nos encontráramos y, para ella, era mejor no llamar la atención en absoluto, ni con la vista de un par de niñas curiosas. Imagino que esa era la mejor forma, según ella, de cuidarnos y protegernos.

Crecí en un barrio que consideré siempre muy bonito pero nada fuera de lo normal, sin lujos ni apariencias. Mi papá trabajaba, mi mamá nos cuidaba y daba clases de baile español por las tardes en un cuarto trasero de la casa. Soy la segunda de cuatro hermanas y siempre me tocó ser la que obedecía las ocurrencias, ideas y juegos de mi hermana mayor, Gaby. Cuando jugábamos de «Enrique y Ana», un dueto español de música infantil muy famoso en mi infancia, yo tenía que ser Enrique porque ella siempre fue Ana —como era la grande, ella elegía quién quería ser primero—, al jugar de salón de belleza yo era la que peinaba —raras veces me tocaba a mí ser la que podía pedir un peinado y que ella me lo hiciera— y era la hermanita de Gaby, la que cantaba hermoso, la que hablaba como loro y dirigía los juegos. Crecí admirando a mi hermana mayor y sintiéndome un poco por debajo de ella en muchas cosas.

A mis 5 años llegó Andrea, la tercera hermana, por quien desarrollé unos celos grandísimos, tantos que la psicóloga del colegio mandó a llamar a mi mamá para discutir lo «insignificante» que me sentía al lado de mis otras dos hermanas —entiendo que suele pasarnos eso a los segundos—. Y, mientras ella fue creciendo y entendiendo más, me dediqué por unos cuantos años a hacerla sentir mal, a decirle cosas que la hicieran llorar o a decir algunas mentirillas con la mala intención de hacerla sufrir en su cabecita de niña pequeña —además Andrea siempre fue y sigue siendo un alma noble; se imaginarán cómo le afectaba eso a ella—. Y, sin embargo, había una parte de mí que disfrutaba hacerla sentir mal. Sí, fui muy malintencionada con Andrea cuando éramos pequeñas.

Luego, a mis 8 años llegó Mercedes a completar la familia. Yo decidí volcarme a consentirla y darle mi atención; en parte por el cariño y ternura que me despertaba y, en parte, seguramente para seguir torturando a la pobre Andrea —¡realmente estuve muy celosa de ella!—. Imagino que para la Tuti de ese entonces fue un gran conflicto sentirse menos brillante, talentosa y hermosa —Gaby tenía unos rulos divinos y una nariz respingada que todos halagaban— con personalidad menos fuerte y decidida que su hermana mayor y, para colmo, sin tener resuelto ese complejo de inferioridad, llegaba Andrea: otra muñequita que, además de rulos y nariz respingada, ¡tenía la barbilla partida y un par de camanances encantadores bajo sus ojos hermosos cuando reía! Yo me consideraba la fea de las hermanas, la única que tenía nariz recta, la que no tenía pestañas grandes y volteadas, la que no tenía rulos en el cabello y a quien nunca le decían, a diferencia de Gaby y de Andrea, que se parecía a la familia de su papá —mi papá tiene ascendencia norteamericana y europea, y todos sabemos que, como sociedad, le hemos dado importancia y mayor valor a ese tipo de apariencia y rasgos que a los característicos de los latinos—.

Recuerdo que una vez estando en IV bachillerato en el colegio nos pusieron a hacer una prueba psicológica de dibujar a una persona en una hoja de papel —tiempo después en mi carrera de psicología conocí de cerca esta prueba que permite conocer aspectos subconscientes de una persona— y al día siguiente de haberlo hecho, me llamaron del departamento de psicología del colegio porque, según lo que había proyectado en el dibujo, tenía una pésima autoestima, me sentía pequeñita e insignificante, y los maestros estaban confundidos y preocupados por mí. ¿Cómo era que una de las mejores alumnas, extrovertida, con dotes de liderazgo, talentos artísticos y demás pudiera llevar eso en su interior? Por supuesto, en ese momento no quise reconocer que era verdad, tal vez me dolía mucho ver y aceptar que aún no aprendía a valorarme y a verme a mí misma sin tener que compararme con otras personas, que encontraba únicamente mis desventajas y creía que era inferior.

Pero, ya me fui hasta el final de mis años en el colegio y no quiero terminar tan rápido sin contarles un poco de mis 12 o 13 años. Según recuerdo, fue entonces cuando mi mamá comenzó a enfermarse. Mis recuerdos de sus padecimientos son que, algunas veces, por las noches, nos pedía que le echáramos algún ungüento para calentar sus articulaciones porque le dolían mucho. Por temporadas, dejaba de hablar porque no producía saliva y tenía llagas en su garganta. Debía usar lágrimas artificiales y anteojos sellados porque sus ojos no podían mantener su humedad. Su piel estaba reseca e imagino que emocionalmente tampoco estaba nada bien. Entonces, supe que a mi mamá le habían diagnosticado algo llamado «Síndrome de Sjogren», una enfermedad autoinmune sin cura que atacaba sus articulaciones y sus glándulas de secreción, entre otras cosas. Además de esto, también atravesó enfermedades muy fuertes que la hacían brincar de doctor en doctor y de tratamiento en tratamiento: le diagnosticaron lupus, leucemia y cáncer en la matriz. Empezó una etapa de varios años durante la cual luchó contra de todo lo que le encontraban, las molestias y los síntomas, hasta que los doctores dijeron que ya no podían hacer nada más. Fue cuando ella decidió buscar opciones más allá de la medicina alópata —la que todos conocemos y que utiliza medicamentos químicos para tratar a los pacientes— y se dio la oportunidad de buscar esperanza en la medicina natural, alternativa o complementaria. En ese entonces, todo lo relacionado a medicina alternativa —homeopatía, naturopatía, radiestiesia, energía, aromaterapia, acupuntura, digitopuntura y demás— no era bien percibido por la sociedad. ¡Al contrario! Esas eran cosas que, por estar fundamentadas en o provenir de otras culturas, eran «malas», «del demonio», «satánicas» o «brujería». Así que me tocó ver cómo muchas amistades y conocidos de mi mamá empezaron a alejarse de ella, cómo la criticaban a sus espaldas diciéndole «bruja» —sí, en pleno siglo XX—. Vi y escuché cómo ella lloraba y cuánto le dolía que vecinos y amigos de toda la vida prefirieran evitarla a interesarse por ese «algo» que le estaba devolviendo la salud y la vida.

Mientras ella caminaba esta lucha por su vida y se abría a descubrir —sin juicios— sobre medicinas, técnicas, creencias y prácticas de otras culturas, yo también comencé a experimentar rechazos, críticas y distanciamiento de algunas amistades, quienes también comenzaron a señalarme y hasta tacharme de «satánica». Más o menos en ese tiempo también decidí salirme del equipo de voleibol al que había pertenecido por casi cuatro años y en el cual tenía a mis mejores amigas de toda la vida y, debido a esta decisión, nos alejamos mucho, pues ya no compartíamos el mismo mundo. Comencé una linda y profunda amistad con otra chica; pero, un año después, tuvo que migrar hacia Canadá. Una vez más y en poco tiempo, perdía a amistades muy valiosas para mí. Así que, en los últimos tres años de colegio perdí a mis mejores amigas y recibí los comentarios más hirientes de ellas, a quienes tanto quería. Así se iniciaron los años de mayores cambios para mi vida.

Quise seguir estudiando en la universidad y elegí Psicología Clínica. Mis papás apoyaban mi decisión, pero a nivel económico yo debía hacerme cargo. Así que empecé a trabajar de muchas cosas para costear mis estudios. Lograba ahorrar de participaciones que tenía en algunos comerciales de radio y televisión —en ese entonces, el pago por comerciales no era grandísimo, pero a mí me funcionaba—, hacía teatro también —aquí se ganaba muchísimo menos— y también pedí trabajo en la propia universidad donde estudiaba para obtener un descuento en mis colegiaturas. Los fines de semana era animadora de fiestas infantiles —disfrazada de Cenicienta, de Bella, de Megara o de lo que la cumpleañera quisiera— y comencé a trabajar en proyectos cortos de radio y televisión. Así, con todo esto —¡y eso que muchos de estos trabajos los desempeñé al mismo tiempo!— logré pagar mis estudios.

Mis años de universidad también fueron de separaciones dolorosas para mí. Terminó la relación de más de tres años con mi primer novio, a quien quise muchísimo; viví un episodio de intento suicida de alguien muy amado y cercano; mi hermana mayor y compañera de toda la vida, Gaby, se casó y se fue a vivir a Estados Unidos; comencé a recibir amenazas de muerte que me hicieron plantearme la idea de tener que salir del país —hasta la fecha no sé de dónde provenían ni por qué razón—, viví unos cuantos meses con mucho miedo y, para terminar de hacerla más difícil, mis papás se divorciaron.

Este evento fue el que más me costó aprender a aceptar y manejar. Al principio, durante los primeros años, marqué un distanciamiento muy grande con mi papá. Y luego le llegó el turno a mi mamá, principalmente cuando ella decidió rehacer su vida. Recuerdo que esta sensación de sentirme dividida me hizo rechazarlos, culparlos, alejarme y enojarme con ellos en distintas etapas. Nunca más hubo un cumpleaños en que toda la familia estuviera reunida, nunca más una Navidad o Año Nuevo juntos. Me sentía partida en dos: ahora con mi mamá, ahora con mi papá, la celebración de mi cumpleaños con la familia de mi mamá, la celebración de mi cumpleaños con la familia de mi papá, Navidad con mi mamá, Año Nuevo con mi papá... y al año siguiente, al revés. Había que procurar que mis papás no coincidieran en el mismo espacio porque se sentía la tensión y la incomodidad, había que procurar no mencionar a mamá frente a papá ni a papá frente a mamá. ¡Y es horrible y muy doloroso sentir que dos de las personas que más amas en la vida están incómodas la una con la otra!

Mientras todo esto pasaba, tuve unas cuantas relaciones de noviazgo más en donde —te imaginarás mi estabilidad emocional— terminé hiriendo a algunas buenas personas. Me sentía abrumada, cansada y desgastada emocionalmente. Mi confusión y posible dolor emocional hacía que no tomara las mejores decisiones y, probablemente, también contribuyeron con la inestabilidad que transfería a mis relaciones.

Entonces decidí salir del país, ahorré todo lo que pude y pedí un poco de ayuda a mi papá para ir a estudiar actuación a Barcelona por un mes, con la idea de hacer lo posible por quedarme a vivir allá y empezar una nueva vida. Estaba dispuesta a quedarme de indocumentada y a averiguar de qué manera podía obtener papeles para quedarme por allá para siempre. Pero, por asuntos de tesis y para cerrar el capítulo de la universidad, regresé a Guatemala —un poco contra mi voluntad— a seguir trabajando para terminar de pagar mis estudios, terminar de pagar mi carro, graduarme e irme a vivir sola. Justo cuando había terminado de pagar mi carro, sufrí un accidente. Una mañana, rumbo a mi trabajo en la radio, un taxista se pasó el alto, golpeó el lado derecho de mi vehículo de tal modo que hizo que diera una vuelta y quedara volcada sobre el lado izquierdo; el vehículo fue pérdida total y, como ya había terminado de pagarlo, ya no tenía seguro. Es decir, lo perdí por completo. ¡Estaba perdiéndolo todo!

Para todo esto, estaba en una relación amorosa muy formal, que en sus últimos meses, fue muy desgastante para ambas partes y, en lo personal, me costó mucho soltar. Fue la primera y única vez que desarrollé celos enfermizos, seguro existió un grado nada saludable de codependencia, me sentí utilizada, engañada y maltratada —y, muy probablemente, él se sintió también así—. Así que, cuando finalizó esta relación, estaba convencida de que quería estar sola, de que no quería comprometerme y mucho menos casarme con nadie. El matrimonio y el compromiso de pareja no eran para mí.

Entonces Carlos apareció en la escena. Ambos ya vivíamos solos cuando nos conocimos. Así que, después de unos cuantos meses de convivencia, decidimos irnos a vivir juntos. Ninguno de los dos creía en el matrimonio, porque ambos venimos de papás divorciados. Entonces acordamos abordar nuestra relación de forma diferente y sin tanto trámite para poder conocernos primero y luego decidir si queríamos dar ese gran paso. Eso nos trajo la desaprobación y crítica de algunas personas muy cercanas y queridas; no era fácil presentarnos ante la sociedad como pareja que viven juntos con la intención de acompañarse, conocerse y ser felices sin tener que cumplir con lo que otros creían era el «orden correcto de las cosas». Después de casi dos años decidimos casarnos y, justo cuando ya teníamos todo casi listo, Carlos se quedó sin trabajo y tuvimos que sentarnos a recortar nuestro presupuesto e incluso contemplamos cancelar la boda, pero no lo hicimos... ¡y nos casamos!

Y, si bien nuestra vida como pareja ha sido muy buena, también nos hemos enfrentado con momentos difíciles de manejar: pérdidas económicas, pérdidas laborales, cambios de vida, problemas familiares, hospitalizaciones de nuestras chicas, fallecimientos de seres queridos, separaciones dolorosas, decisiones complicadas y todo lo que todo el mundo vive, por nombrar algunas cosas.

A nivel personal, he llorado, me he enojado, he reclamado, me he peleado con seres muy queridos, he sentido culpa, me he sentido «mala madre», «mala esposa», «mala hermana», «mala hija», «mala amiga» y «mala líder». He tenido muchísimo miedo a los cambios, me he sentido decepcionada, me he sentido inútil, poca cosa, impotente, fracasada, fea y mil cosas más en distintas situaciones que he vivido en esta, mi vida «imperfecta».

¿Y entonces? ¿De dónde sale esta Tuti que dice vivir a colores y tener una vida perfecta?

¡Ah! La pregunta del millón... ¿La respuesta? ¡Encontré el verdadero valor de (P)!

7
P=Momentos perfectos

Crecí escuchando y creyendo que soy imperfecta. «¡Nadie es perfecto, solo Dios!»

Y no, no voy a despotricar contra Dios ni mucho menos. Pero sí quiero pedirte, con todo mi corazón, que me sigas en estas ideas que quiero compartir, pues ojalá logres identificar esas creencias que nos hemos impuesto como sociedad y te des la oportunidad de redefinir tú también (P).

¡Nada ni nadie es perfecto! Lo decimos para justificar un error, lo decimos para consolarnos cuando las cosas no salen como esperamos, lo decimos también para situarnos en una posición de «humildad» y no aceptar tan abiertamente un cumplido; en fin, es una frase con la que crecimos y sobre la que sabemos que todos estarán de acuerdo con nosotros porque... bueno... ¡nadie es perfecto!

¿Recuerdas la anécdota en que nadie escribió un solo defecto en mi hoja de cualidades y defectos? Como te conté, cuando mi hoja regresó a mis manos, me sorprendí. Allí estaban las cualidades, pero… ¡no había un solo defecto! Me sorprendí, me sentí halagada y, a la vez, confundida y bastante apenada. Una compañera que se acercó a ver mi hoja gritó: «¡Tuti no tiene defectos, es perfecta!» Yo sonreí y dije: «¡Claro que los tengo! Tal vez ustedes no los conocen, pero claro que tengo, ¡si nadie es perfecto!» Jaque mate.

Como te conté en el capítulo de mi vida perfecta, yo era una excelente estudiante. Fui abanderada, cantaba, bailaba, declamaba, corría rápido, sabía hacer vueltas de carreta, entendía matemática, dibujaba bonito, prestaba atención, no daba copia y no copiaba, no contaba chistes malcriados, era amable, nunca le negaba a nadie mi ayuda ni rechazaba a nadie que quisiera sentarse conmigo a la hora del recreo —por supuesto, bajo esos parámetros medidores de «buena niña»... pues ¡yo sí que lo era!—.

Yo sabía que era una buena niña y me sentía orgullosa de quién era y cómo era. Pero, algo no estaba bien... y eso era que ¡yo tampoco podía encontrar mis defectos!

Siendo así de pequeñita entendí que algo estaba mal, que no podía ser así de feliz y orgullosa de mí misma. Si nadie era perfecto, yo *tenía* que tener algo malo. ¿Qué cosa? Aún no lo sabía, pero lo iba a averiguar y lo fui encontrando a lo largo de mi vida. Con el tiempo comencé a notar que no era tan bonita como una amiga que tenía los ojos verdes y el cabello rubio, que no tenía tanto dinero como otra a la que le compraban cosas lindas, que no tenía ni la estatura ni la delgadez ni —te vas a reír con esta— las pompis de otra a quien le llovían pretendientes... Y así fui poniendo atención y encontrando esas cosas por las cuales no me sentía bien conmigo. ¡Qué suerte! Ya no era perfecta.

Entonces, ya me podía sentir bien porque tenía muchísimas cosas por las cuales me sentía mal. ¡Es absurdo! Aprendí a encontrar «lo malo» que tenía en mi físico, en mi situación económica y en mis habilidades diferentes a las de otros. Es más, logré sentirme mal hasta por mi pasión para entregarme con el corazón a todo lo que emprendía y le di el título de «defecto». Me dijeron que se llamaba «perfeccionismo» y ese era un título elegante para un defecto, ¿no?

Entendí que, como no podía ser perfecta así como yo era —porque nadie es perfecto—; como no tenía el derecho de sentirme bien conmigo misma o aceptarme, admirarme y amarme tal y como era, —porque eso hubiera sido prueba de que me creía perfecta y creerse perfecta es malo, ¡si nadie es perfecto!—, era mucho mejor entender que la «perfección» es todo eso que nunca iba a llegar a ser, algo utópico, una fantasía, cero errores, belleza pura universal, tanto que es admirable pero no tanto que sea un exceso.

En conclusión, perfección es eso que no existe.

Crecí sintiéndome imperfecta, pero aspirando a serlo. Una parte de mí quería crecer, aprender, brillar y ser mejor, pero con la conciencia de que nunca llegaría a ser perfecta. O sea, por mucho que avanzara, que creciera, que fuera buena, que quisiera quedar bien con todo el mundo, que me dedicara, que me arreglara, que me esforzara, que me pusiera o que me quitara... cualquier decisión que tomara TENÍA —con mayúsculas porque era regla universal— que tener algo malo. Pero, ¡¿por qué?! Adivinaron... *porque nada es perfecto.*

Y entonces era lógico que mis papás se separaran y mi mamá se enfermara, que mis amigas se alejaran y que un ser muy querido intentara quitarse la vida. ¡La imperfección en estado puro, la naturaleza de la vida!

Pero Dios sí es perfecto. Y aquí hago un alto en mi vida. Si Dios es perfecto y todo lo que hace es perfecto, ¿por qué yo soy imperfecta? ¿Acaso se equivocó? ¿Será que era a mí a quien tenía que darle los ojos verdes, esos diez centímetros más de estatura, unos papás que se amaran hasta la muerte y un país donde reinara la paz y el amor, pero se le fue la onda? ¡Pero si Dios no se equivoca! ¡Si Dios es perfecto! Y entonces, ¿qué pasó?

Pero, un día que llevaba a Fernanda al doctor, entendí algo. Íbamos para que le revisaran una gripe muy fuerte que le había dado. Belén nos acompañó. El doctor le diagnosticó influenza y recomendó que le pusiéramos la vacuna a Belén como prevención. Te imaginarás la cara de Belén al escuchar que, siendo su hermana la afectada, ¡sería solo ella la que recibiera la vacuna!

—Mamá, por favor, no quiero que me pongan una inyección, ¡es muy doloroso! ¡No quiero! No me obligues a hacerlo.— dijo con sus ojitos llenos de lágrimas.

—Amor, yo no quiero obligarte a pasar por este dolor. No quiero que pienses que yo quiero que te lastimen. Quiero explicarte algo. ¿Has visto cuánto tiempo Fer ha pasado en cama y con fiebres? Cuatro días. ¿Has visto cómo se ha quejado de malestares, cómo no tiene fuerzas, cómo no quiere comer ni jugar?

—Sí, mami, pero yo no quiero inyección.

—Entiendo. ¿Te gustaría entonces pasar unos días así como pasó tu hermana y que te duela la cabeza y que tengamos que nebulizarte y todo? O ¿prefieres pasar tres segundos de dolor cuando te pongan la inyección y unos minutos más para que pase?

—¡Ninguno de los dos!

— Amor, soy tu mami. Quiero todo lo mejor para ti y, si te pudiera ahorrar el dolor, ¡lo haría! Según yo veo ahora, lo mejor es pasar un dolorcito unos minutos y evitar pasar días en cama y sintiéndote mal. ¿Qué opinas?

No fue fácil convencerla. Le expliqué varias veces que, si yo permitía que le pusieran la vacuna, era porque la amaba, porque la estaba protegiendo, aún exponiéndola a algo que ella no hubiera pedido, que no le gustaba y que le iba a doler, y finalmente accedió.

¿Y qué tiene que ver esto con Dios y la perfección?

Allí voy, paciencia. En ese momento en que le ponían su inyección a mi Belén, entendí que el amor que siento por ella no la puede proteger de cosas que ella cree que no le favorecen. Mi amor no podrá evitar que atraviese momentos que ella no querrá atravesar por la dificultad que representan. Mi amor de humana sabe que atravesar por incomodidades, dolores, dificultades y demás la hará aprender, la hará descubrir su capacidad para resolver sus propios asuntos, la hará aprender a cuidarse, a tomar decisiones tal vez no tan sencillas, la hará construirse a sí misma, la hará fuerte.

¿Cómo no pensar, entonces, que Dios, que es amor puro, conciencia absoluta y sabiduría infinita, ha dispuesto todo perfectamente? ¿Cómo no pensar que incluso nos hizo perfectos a nosotros, que no se equivocó?

¡Nuestro concepto de perfección es el imperfecto! No tenemos que estar buscando nada malo en nosotros para sentirnos dignos de ser imperfectas creaciones del que sí es *perfecto*. Qué absurdo suena, ¿no? Más bien, tenemos que *sabernos* perfectos, así como somos, para *sabernos* perfectas creaciones del que sí sabe de perfección.

Y es que ahora entiendo que la perfección no es un estado que se alcanza en donde no hay errores. Los errores son parte del diseño perfecto porque son parte del engranaje perfecto de la vida y de lo que todos venimos a hacer: trascender.

Que yo me equivoque como mamá es perfecto para que mis hijas aprendan a perdonar, es perfecto para que yo aprenda a reconocer mis errores, es perfecto para que todos aprendamos de tolerancia y compasión.

¿Qué pasa con cosas como el odio, las guerras, la deforestación o el maltrato animal? Si me siguen en esta nueva idea de perfección, claro que todo eso es perfecto. Perfecto para que busquemos como especie ser más compasivos, para que aprendamos a respetar las diferencias, para que aprendamos a abrir nuestro corazón y reconozcamos lo que es verdaderamente importante en la vida; es perfecto para despertar nuestras conciencias que se van cansando de ver todo eso que pasa en el mundo. ¿Me explico? Perfecto no es sinónimo de bueno o agradable o hermoso. Podemos estar atravesando una situación dolorosa y difícil que no nos guste; pero, si aprendemos a verla como perfecta —sacando el viejo concepto de perfección de la mente y el corazón, claro—, estaremos más abiertos a encontrar el propósito de eso que atravesamos, tendremos la certeza de que esa «vacuna» que hoy nos duele solo nos está dando más fuerzas para poder trascender.

Entonces, que no tenga los ojos verdes o esos diez centímetros más de estatura ha sido perfecto para que aprenda a aceptarme y amarme como soy, y a ver mi belleza más allá de lo exterior o de los estereotipos; que mis papás se separaran fue perfecto para que yo aprendiera a no juzgar los procesos de cada uno, para que me acercara y conociera más a mi papá, para que me relacionara diferente con mi mamá y para que observara y cuestionara ciertos patrones disfuncionales de las parejas y, eventualmente, pudiera vivir una relación diferente con Carlos, mi esposo. Que haya nacido, crecido y vivido en un país donde hubo guerra, divisiones, enfrentamiento y odio ha sido perfecto para que yo me plantee ser y vivir de manera diferente, para hacer que hoy sea quien soy y piense como pienso, y trate de aportar lo que trato de aportar.

Y ahora que ya sé que soy perfecta, dejo de empeñarme en buscar con qué puedo hacerme sentir mal para cumplir con el requisito de imperfecta. Ahora, que sé que soy perfecta, contemplo mis cambios, contemplo mis retos, contemplo mi cuerpo y contemplo mi vida para encontrar cuánta perfección hay... Y sí, hay muchas cosas que no me gustan, pero ahora entiendo que son perfectas para que yo haga algo al respecto.

Y eso... ¡eso es (P)!

8
¿Qué pesa más?

Antes de responder la pregunta, quiero recordar una historia que leí hace mucho y me encanta:

Una noche un anciano indio Cherokee le contó a su nieto la historia de una batalla que tiene lugar en el interior de cada persona. Le dijo: «Dentro de cada uno de nosotros hay una dura batalla entre dos lobos. Uno de ellos es un lobo malvado, violento, lleno de ira y agresividad. El otro es todo bondad, amor, alegría y compasión.» Durante algunos minutos, el nieto se quedó pensando acerca de lo que le había contado su abuelo y, finalmente, le preguntó: «Dime abuelo, ¿cuál de los dos lobos ganará?» Y el anciano indio respondió: «Aquel al que tú alimentes.»

Esta historia me gustó desde que la escuché por primera vez y tuvo mucho sentido para mí. Y fue justamente lo que vino a mi mente mientras te compartía mis historias «perfecta» e «imperfecta», porque creo que es lo que ha pasado con mi vida. Muchas personas me han cuestionado sobre mi felicidad y muchos han especulado alrededor del tipo de vida que llevo para poder ser «tan feliz»; probablemente imaginan que todo me ha sido fácil, que todo camina sobre ruedas, que jamás he pasado una pena o tal vez que vivo en negación absoluta a la realidad dolorosa y cruda... pero no es así.

Hoy quiero ir un poco más allá con esta historia. Me gustaría que pensáramos que el lobo bueno son todas esas cosas que están bien, que funcionan bien, que resultan bien, que nos aportan, que nos enriquecen, que nos hacen sonreír o, al menos, que no nos hacen quejarnos. No tiene que ser algo extraordinario; son cosas muy simples, por lo general. Sin embargo, no solemos notar que, gracias a ellas, hoy estamos como estamos y funcionamos como funcionamos.

¿Tomaste un café en la mañana? ¡E*so está bien!* Al salir de tu casa corriendo porque ya ibas tarde, diste un beso a tu mamá, a tu pareja o a tus hijos. ¡*Eso es lindo!* Te dirigiste a tu trabajo. ¡*Tienes trabajo!* Y al llegar te encontraste a ese compañero que siempre saluda tan amable. ¡*Eso aporta!* Y, aunque fue pesado el día, lograste entregar un trabajo bien hecho. *Acéptalo, ¡estuvo bien!* Y sí, saliste de la oficina muy cansado y tardísimo, ya ni tránsito había en las calles. ¡*Fue cómodo llegar tan rápido!* Luego llegaste a tu casa. ¡*Tienes un lugar donde resguardarte y descansar!* Cenaste mientras conversabas de tu día con tu mamá, tu hermano o tu pareja. ¡*Eso es como un descanso!* Y pudiste descansar para, al día siguiente, abrir los ojos otra vez. ¡Tienes vida!

¿Notaste la diferencia de alimentar al lobo bueno?

El ejercicio es notar todo lo que puedas. Habrá cosas buenas y otras que consideras que no lo son; pero, si procuras prestarle suficiente —o más— atención a esas pequeñas cosas que sí salieron bien, verás cómo poco a poco en tu vida empieza a haber un equilibrio que te permite dar el peso correcto y justo a los retos, a los problemas, a las adversidades y a los momentos difíciles o complicados. No tienes que tener una vida sin problemas para notar que también tienes bendiciones y, cuando estás dispuesto a notar tus bendiciones, ves tus problemas desde otra perspectiva y con mucho menos dramatismo y victimismo.

Eso es lo que trato de ejercitar yo en mi vida: procuro alimentar al «lobo bueno» tanto como pueda notando pequeñeces que me hacen sonreír y agradeciendo lo que sí tengo en lugar de reclamar por lo que no tengo; sintiéndome dichosa por cosas que muchas veces ya damos por sentado, empezando por la vida, nuestro cuerpo y las personas que nos rodean. ¿Que si todo el tiempo me mantengo así? ¡Claro que no! También mi lobo agresivo, alegón y pesimista ronda de vez en cuando; por eso le llamo ejercicio, se debe hacer una y otra vez.

¿O sea que la Tuti, con todo lo positiva que es, aún no ha eliminado a su lobo malvado? La respuesta es no. Y es que simplemente... ¡no se puede! Ambos son parte de nosotros y este otro lobo nos ayuda a sobrevivir, a reaccionar, a causarnos molestias para que cambiemos y busquemos trascendernos a nosotros mismos. Pero todo está en el equilibrio —y equilibrio no es igualdad, que conste—.

Siempre he preferido definir mi vida por todas las bendiciones que recibo. Me gusta contemplar las cosas lindas que he pasado y que me hacen sentir bien y agradecida. No quiere decir que niegue que ha habido momentos difíciles, que he pasado por situaciones dolorosas y que me he topado con grandes retos, no. Allí están. Son parte de lo que soy y han sido mis maestros en el camino también. Y, cuando los veo y hago el ejercicio de ver qué bueno salió de allí, entonces me doy cuenta de lo maravilloso que es que hasta lo «negativo» empieza a verse de otro color, empieza a mostrar el regalo detrás de su fachada y entonces podemos empezar a agradecer que exista ese «lobo malo».

Este ejercicio de escribir mis dos historias ha sido revelador para mí. Por un lado, pude darme cuenta de que podría ser una mujer amargada, rencorosa, llena de resentimientos, miedos, inseguridades y hasta odio si hubiese elegido a lo largo de mi vida irla definiendo —y definiéndome— en base a ese lado de la historia únicamente. Por otro lado, me encantó ir notando que, mientras escribía mi «historia imperfecta», nada pesaba lo suficiente como para decirme a mí misma: «¡Uf, qué cosas tan fuertes he pasado!» Porque para mí pesan mucho más todas las cosas que he compartido en mi «historia perfecta» y un millón más que a diario me hacen sonreír y sentirme dichosa. Y es que he descubierto que, al encontrar qué me hace a mí un mejor ser humano, ofrezco al mundo un mejor ser humano. Y, por último, noté algo interesante que tal vez te pase a ti también. Mientras escribía la primera parte de la historia, la positiva, a ratitos me encontraba con algunos pensamientos y sentimientos de culpabilidad por estar describiendo mi «vida perfecta», como si fuera malo aceptar que hay cosas maravillosas en mi vida, como si no fuera correcto pensar que mi vida es perfecta. ¿Por qué parecemos más cómodos mostrando lo malo que nos ha pasado? ¿Por qué no nos sentimos culpables cuando nos ponemos dramáticos y queremos que los demás nos vean como víctimas incluso cuando tenemos tantas cosas por las cuales sentirnos dichosos y agradecidos? Debería ser motivo de orgullo vernos como personas que disfrutan de la vida a pesar de los subes y bajas, ¡eso tiene más mérito! Pero hemos aprendido a sentirnos mal por sentirnos bien. ¡Qué absurdo!

Hace poco conversaba con Belén, mi hija menor. Fue su cumpleaños y decidió que parte de la celebración sería que la familia —los cuatro nada más— visitara un parque de diversiones. Quería subirse a todos los juegos a los que ahora ya puede subirse por su estatura y edad. Subimos y disfrutamos el parque entero y dejó la atracción que más le gustaba para el final. Se trataba de un juego mecánico. Llegamos, hicimos la fila y esperamos nuestro turno, y justo cuando nos tocaba subir, empezó a llover. Estaba lloviendo tan fuerte que cerraron el juego y nos dijeron que no nos íbamos a poder subir. ¿Se imaginan cómo se sentía mi Belén? Se entristeció muchísimo. Esa noche, cuando estábamos por dormir, llegué a su cama, le di las buenas noches y me acosté un ratito con ella para platicar del día, escuchar sus anécdotas y decirle que la amaba. Le pregunté cómo había pasado su día y me dijo que estaba muy triste porque no había podido subirse a su juego favorito. Entonces le dije: «Oye, ¿quieres hacer el ejercicio de notar todas las cosas que sí tuviste y salieron bien hoy? Recuerda que cuando nos enfocamos en lo que no tenemos, en lo que no salió bien, en lo que nos dolió o en lo que no logramos, nuestro momentito presente —que es lo que realmente tenemos en ese instante— se pierde y, con él, el regalo de ver todo lo que sí tuvimos. ¿Regresamos al parque de diversiones en nuestra mente?»

Y entonces ella empezó a contar su día. «Nos subimos a todos los juegos que quería, ¡algunos hasta dos veces! Estuvimos todos juntos en familia, comimos un helado, nos reímos mucho, tomamos fotos chistosas, nos empapamos en los juegos de agua y eso estuvo divertido, y por primera vez me dejaron subir al juego de los más grandes.» Yo le respondí: «Cuántas cosas, ¿verdad? Ahora hagamos el ejercicio de regresar aquí y ahora, en este instante en el que estamos tú y yo en tu cama platicando. Dime, ¿qué son esas cosas que sí tienes y no has notado?»

Y entonces hizo un recuento tan honesto y extenso, que me encantó. Trataré de trasladárselos: «Tengo una mami que está conmigo, que me abraza mientras platicamos, tengo una cama que es calientita, tengo una casa linda donde vivo, tengo una habitación solo para mí... ¡Estoy viva! Tengo brazos, tengo piernas, tengo amigas, tengo juguetes que me gustan, tengo ropa para el día y ropa para dormir, tengo un papá juguetón y amoroso, tengo una hermana que me consintió hoy...» Y entonces empezó a hacer bromas y a decir que tenía cosquillas para su mamá y chistes que contarle mientras reía y reía. Entonces le pregunté si se sentía diferente, si era mejor enfocarse en lo que no salió bien o notar todo lo que sí salió bien y todo lo que sí tiene ahora. «Me siento feliz y agradecida, mamá» dijo.

Los niños hacen este ejercicio con facilidad. A quienes más nos cuesta es a los adultos, porque ya tenemos tan grabado eso de «la vida es dura», «la vida es difícil», «seamos realistas» y demás, que no nos permitimos ser como niños: más honestos con nosotros mismos y con la vida, soltar el orgullo y las apariencias y, desde la inocencia, conectarnos con todos esos regalos que recibimos.

Podemos enfocarnos en todo lo que no tenemos y la lista sería interminable. «No tengo un castillo en Alemania, no tengo un yate en el Caribe, no he hecho todos los viajes que quisiera, no tengo un avión privado, no tengo el cuerpo de una modelo, no tengo la estatura de mi vecina, no tengo la casa del tamaño que quisiera, no tengo los zapatos, no tengo el carro, no tengo, no tengo, no tengo...» ¿Y qué logramos con eso? Seguramente nos hará sentir frustrados, molestos y carentes. Pero, si nos enfocamos en todo lo que sí tenemos ahora, en este preciso instante, seguramente vamos a estar mucho más agradecidos y dispuestos a disfrutar este momento e, incluso, momentos pasados.

Insisto, no se trata de negar que hay cosas que podríamos mejorar o cambiar. Tampoco se trata de borrar las cosas que nos duelen ahora o nos hirieron en el pasado, no. Todas ellas existen y seguirán existiendo; pero, si nos damos el regalo de darle nuestra atención al lobo bueno, seguro eso nos permitirá volver a ver al «monstruo» desde otra perspectiva y darnos cuenta de que o no era tan horroroso como lo habíamos visto o nosotros tenemos muchas más herramientas con las cuales enfrentarlo y crecer a partir de la experiencia.

Ahora bien, ¿cómo se hace para que pese más una que otra? ¡Aprendiendo a jugar!

9
El juego de lo bueno y lo malo

Mientras crecía, iba entendiendo y concluyendo que en la vida pasaban cosas buenas y cosas malas, que algunas nos podían enriquecer profundamente y otras marcar eternamente, que de unas te podías recuperar y otras te destruían la vida. ¿Qué quería que me pasara? ¡Todo lo bueno, por supuesto! ¿Cómo me lo garantizaba? Sencillo: siguiendo las instrucciones. Tenía que ser buena y obediente para recibir cosas buenas y, principalmente, para evitar que me pasaran cosas malas y terribles. Todos hemos escuchado o dicho que «a la gente buena le pasan cosas buenas y a la gente mala le pasan cosas malas», así que la ecuación parecía lógica y fácil.

Y, sin saber cómo exactamente, aprendí a diferenciar lo bueno de lo malo y a marcar con una etiqueta grande y permanente todo lo que sucedía. Aprendí a ver el blanco y el negro, el arriba y el abajo, la derecha y la izquierda; pero, principalmente, aprendí que las personas o eran buenas o eran malas. Aprendí a juzgar. Si escuchaba comentarios como: «Robó y por eso lo llevaron a la cárcel.» Yo pensaba: «¡Lógico! Hizo algo malo, le pasó algo malo.» Si, por el contrario, escuchaba: «Sacó 100 puntos y por eso le dieron el premio.» Entonces pensaba: «¡Lógico! Hizo algo bueno, recibió algo bueno a cambio.»

Me topé con mensajes que nunca cuestioné ni analicé, solo los tomé como ciertos porque así lo dictaba mi entorno o así aprendí que eran. *Toma alcohol*, es malo. *Va a misa*, es bueno. *Está esperando un bebé y no está casada*, es mala. *Ha mantenido su matrimonio por años*, es bueno. Y también con mensajes contradictorios y ambivalentes sobre los cuales no podía llegar a una conclusión. *Niños que no van al colegio* —malo— *por ayudar a sus papás* —bueno—... ¿Entonces? *Gente amable y trabajadora* —bueno— *que enferma y muere* —malo—... ¿Entonces? *Personas tramposas y aprovechadas* —malo— *que ganan muchísimo dinero y viajan por el mundo* —bueno—... ¡¿Entonces?! ¡Que alguien me explique qué está pasando!

No recuerdo si alguna vez pregunté a mis papás por qué esas cosas malas pasaban a personas que yo catalogaba como buenas y por qué esas cosas buenas les sucedían a las personas que yo catalogaba como malas, pero creo que nunca lo hice y solamente fui entendiendo que tenía que estar en contra de la gente mala y a favor de la gente buena. Blanco o negro, punto. Pero la vida se encarga de enseñarnos que no es así y nos va mostrando los muchos matices de gris y los múltiples puntos de vista que la gente puede tener ante una misma situación. Vi cómo las personas que yo catalogaba de «buenas» se equivocaban muchas veces, herían a otros y hacían cosas que yo catalogaba como «malas», lo que me llevaba a no saber exactamente en dónde colocarlas; y también vi cómo personas que yo catalogaba como «malas» acertaban en algunas ocasiones, tenían gestos amables e, incluso, hacían cosas «buenas». Entonces comencé a observar que eso de que «a la gente buena le pasan cosas buenas y a la gente mala le pasan cosas malas» no era tan cierto.

Lo que fui encontrando en el camino —en gran parte gracias a haber conocido y entrevistado a muchísimas personas por los medios de comunicación en los que trabajé— fue a personas que, sin importar si venían de costumbres y acciones «buenas» o de costumbres y acciones «malas», cuando atravesaban por momentos de prueba, generalmente y con el tiempo, transformaban su consciencia como seres humanos; algo los fortalecía, algo maravilloso se revelaba en ellos. Mi mamá fue un caso muy cercano de esta transformación. No solo se sanó, encontró su vocación de vida, se atrevió a cuestionar y a abrirse a otras culturas, a otras religiones y a otras técnicas, sino que, además, aprendió a soltar esos parámetros tan duros con los que a ella también le enseñaron a medir al mundo. Gracias a su proceso, yo también me di el permiso de cuestionar y de intentar ver la vida y a las personas de una forma mucho más diversa, completa y rica. Comencé a percibir los grises como válidos y valiosos, incluso más reales.

Una de las frases que me encontré en este camino, compartida por muchas de estas personas que he conocido, incluyendo a mi mamá, fue: «No te preguntes por qué te pasa lo que te pasa, pregúntate más bien para qué.»

Recientemente estuve leyendo y escuchando material del Dr. David Hawkins y de Enric Corbera. Ambos mencionan una y otra vez la importancia de entender que todo sucede *para* nosotros. ¿A qué se refieren? A que no somos *víctimas* de lo que nos sucede. Las cosas no suceden «porque fui malo o fui bueno», «porque me comí las verduras», «porque hice trampa», «porque se olvidó de mí», «porque me abandonó», «porque le fui a dejar flores» o «porque di dinero». Las cosas suceden no como un premio o un castigo; si realmente fuera así la cosa, me parece que al repartidor de premios y castigos se le han cruzado las direcciones de vez en cuando, ¿no?

Sin embargo, así aprendimos a ver la vida. Entonces, es lógico que nos peleemos con todos y con todo. «¿Por qué, si yo era una excelente estudiante y ayudaba a mis compañeras y le sonreía a la vida y enseñaba la catequesis a los niños de mi parroquia, mis papás se separaron, mi mamá casi muere, mis amigas se alejaron, tuve un accidente y mi novio me fue infiel?» ¡¡No tiene sentido!!

No, no tiene sentido porque lo que sucede no es «porque», es «para qué». No es un premio o un castigo, no es cuestión de justicia o injusticia, no es por «puntos en el cielo» o «pases al infierno» que vamos acumulando, no. Cuando nos damos la oportunidad de recibir eso que la vida nos está dando —algunas cosas más agradables que otras, algunas situaciones más difíciles que otras, algunos momentos más lindos que otros y algunas experiencias más duras que otras— como un ofrecimiento y una oportunidad de crecer, la perspectiva de nuestra vida cambia.

En una conversación que tuve con una buena amiga, quien también es una gran maestra del coaching ontológico, Marisa Gallardo, abordábamos el tema sobre las relaciones tóxicas, entre otras cosas, y dijo una frase que me encantó y fue esta: «cambia el «tengo una relación tóxica» por «tengo una relación de aprendizaje» y verás cómo cambiará tu percepción hacia tu vida y tu relación. Podrás decir: estoy en una relación de aprendizaje con este señor que ha sido un maravilloso maestro de lo que yo ya no necesito». Aún las relaciones que percibimos como dañinas están a nuestro servicio. Cuesta muchísimo verlo porque es más cómodo permanecer en el papel de víctima, del ofendido, del que señala —yo bueno, tú malo—, del que no tiene nada qué hacer más que lamentarse y echarle la culpa al otro del propio sufrimiento o malestar. Es más fácil creer que nosotros no somos los que tenemos algo que cambiar —que cambie el otro, si es el malo—.

Edith Eger, psicoterapeuta y sobreviviente de los campos de exterminio en la Segunda Guerra Mundial, escribió en su libro *La bailarina de Auschwitz*: «Es más fácil hacer a alguien o a algo responsable de tu dolor que asumir la responsabilidad de poner fin a tu propio victimismo.» Y en otro momento apunta: «Ya no necesito a Hitler. Me he convertido en mi propia carcelera.»

Quiero dar un paso más. No solo tengo que preguntarme para qué me pasa lo que me pasa, sino también para qué le pasa lo que le pasa a los demás; pero no para analizar sus vidas y juzgarlos —¡estaríamos cometiendo un gravísimo error!— sino para preguntarnos para qué estamos presenciando eso. Es decir, si un amigo se acerca a contarme que está muy triste porque su pareja lo dejó y yo me enojo, me indigno, me dan ganas de vengar a mi amigo, maldigo su situación y hasta siento su rencor... es importante que yo no vea el hecho como algo aislado que le pasó *a mi amigo*; es importante que lo logre entender como una oportunidad para que yo también revise mi propia vida, mis relaciones y por qué esto que ha vivido mi amigo me hizo tanto «ruido», como me gusta llamarle a cuando algo nos afecta o nos sacude por dentro, porque todo sucede *para* nosotros. Tal vez la deshonestidad del otro con su pareja me esté mostrando mi propia deshonestidad con mi pareja actual, tal vez me enoja ver cómo otras personas sí tienen el valor —que yo no tengo— de dejar las relaciones donde no son felices; cosas que solemos reprimir y que, sin estas situaciones ajenas, nos cuesta mucho ver. ¿Ves? Todo sucede *para* nosotros, todo a lo que nos enganchamos y nos hace ruido es un llamado a la puerta de la introspección, es una invitación a vernos al espejo y revisar, gracias al otro, cómo estamos realmente. ¡No estamos aislados! Todo existe para nosotros, todo está al servicio de nuestra conciencia y nuestra evolución.

Como sabes, a mí me gusta tratar de aterrizar estos conceptos con ejemplos y analogías —es lo que hago en mis videoblogs— así que se me ocurrió compartirte esta que se me venía a la mente mientras escribía todo lo anterior.

La vida es el videojuego perfecto. Has jugado videojuegos, ¿cierto? No tiene que ser de los sofisticados, puede ser uno de maquinitas incluso. ¿Cómo haces para ganar? Básicamente, vas moviendo a tu muñequito por los caminos que decides llevarlo, intentando superar las pruebas y retos que te presentan, ¿no? Tú eres el que busca estrategias y soluciones para poder finalizar el juego con el mejor resultado. Pensemos en Pac-Man o en Mario Bros. —No conozco mucho de videojuegos, así que no puedo poner muchos más ejemplos. Me quedaré con esos dos aunque corra el riesgo de delatar mi edad, ¡ja ja ja! Lo importante es que me sigas en esta idea, ¿cierto? Continuemos con la analogía.— No vamos por allí intentando que los fantasmitas de Pac-Man entiendan por qué son así, tampoco intentamos que sean diferentes. No podemos controlar que bajen su velocidad o que decidan tomar por otros caminos para que nos dejen la vía libre y nos hagan el juego más fácil. No tenemos la capacidad de hacer que los honguitos con cara enojada de Mario Bros. reflexionen sobre su actitud y se pregunten si vale la pena ser tan destructivo o por qué el programador los hizo malos. Tampoco podemos hacer que cambien de actitud y sean buenos con Mario y le ayuden a ganar. ¡No! Cuando somos Pac-Man o Mario, sabemos que lo único que controlamos es a Pac-Man o a Mario.

Así entendemos que todo lo que está en esa pantalla durante ese juego está allí para que Pac-man y Mario jueguen. Desde las paredes del laberinto y los túneles hasta las cerecitas, los hongos que dan una vida extra, las monedas, las estrellas e incluso la música, ¡todo es para jugar! ¿Hay personajes, situaciones y mundos que presentarán obstáculos? ¡Claro! ¡Pero están allí para nosotros! Para que seamos más hábiles, más fuertes, más rápidos, más prudentes y más analíticos, para que cambiemos de estrategia y tomemos diferentes decisiones. En fin, para que juguemos. ¿Por qué no empezar a ver la vida de igual forma, aprendiendo a agradecer que existan estas personas y situaciones que, aunque nos hagan ruido y no nos guste su forma de ser o de actuar, están allí para nosotros?

Aclaro que, para mí, este sigue siendo un camino. No sé si algún día ya no me molestaré o no reclamaré cuando me pasen cosas fuera de lo que espero; pero, definitivamente, mientras más hago el ejercicio de dejar de sentirme víctima de las circunstancias o sentir que vivo una injusticia divina o que la vida es cruel, más me doy cuenta que puedo encontrar paz y reconciliación para atravesar o enfrentar eso que me toca y, al final, aprender de ello.

Ahora entiendo que eso de que «a las personas buenas les pasan cosas buenas y a las personas malas les pasan cosas malas» sería algo así como decir que a la gente buena le va bien en el juego y a la gente mala le va mal en el juego... y no es así. La vida no es un juego diseñado para perder, sino para aprender a ganar poco a poco. ¡Para eso es que estamos aquí!

Ahora quizás te estás preguntando por dónde empezamos a jugarlo. ¡Pues a eso vamos en el siguiente capítulo!

10

La vida, un comercial de televisión

Para hablar de mi vida en la pantalla chica, me gustaría comenzar por compartir contigo que, antes de trabajar como conductora o productora de programas, tuve la oportunidad de trabajar en varios comerciales de televisión. Del que te quiero hablar ahora es de uno que grabé cuando tenía unos 18 o 19 años. Era un comercial para una marca de comida, en el que aparecíamos tres generaciones de mujeres que disfrutábamos de un platillo en particular, yo era la más joven. ¡La experiencia de grabar siempre fue maravillosa! Me encantaba aprender de todo y, por eso, observaba tanto como pudiera. Noté que era imprescindible poner mucha atención a los detalles, me admiraba de cuántas veces se debía repetir una misma toma para que saliera perfecta, de cuánto variaba una sombra si se movía un centímetro la luz, de cuán diferente era la historia si la cámara apuntaba a la derecha o a la izquierda, o si la toma era sobre mi hombro o a mi costado. Cada segundo del proceso era medido con precisión; en fin, maravillas de los audiovisuales. Grabamos todo el día ese comercial que duraría al aire 30 segundos.

En una de estas escenas, la actriz que hacía el papel de mi mamá se dirigiría a mí, por lo que decidieron que, en esa toma, parte de mi perfil saliera a cuadro para denotar interacción entre ambas. Nos habían sentado en un triángulo isósceles casi perfecto, una en cada esquina; me parecía lógico. En cuanto empezaron a hacer disposiciones para grabar esa parte de la secuencia, el director se dirigió a mí: «Tuti, necesito que te muevas con todo y silla a esta posición y te voltees hacia tu izquierda.» Si sigues imaginando el triángulo con la punta hacia arriba, yo estaba en la esquina de la derecha y me pedían que me moviera hacia la izquierda casi debajo de la punta de arriba y que, además, en lugar de ver a la actriz, debía girarme hacia la izquierda para que mi cuerpo y cara apuntaran hacia un espacio vacío. ¡Para mí, eso era absurdo! ¿Cómo no iba a ver a la actriz que hacía de mi mamá mientras ella me hablaba? Él continuó: «Tienes que ver hacia esa maceta de allá y asentir cuando ella hable, como si la estuvieras viendo directamente; por el ángulo en que te vemos en cámara, parece que realmente estás viendo y escuchando a tu mamá.»

No lo entendí, pero lo hice. Al finalizar la toma, me acerqué para ver exactamente cómo había salido aquel desastre y, ¡oh sorpresa!, yo estaba un poco borrosa en primer plano y, más atrás, la actriz que hacía de mamá hablaba dirigiéndose a mí y yo... parecía que le prestaba atención directamente a ella. Así aprendí cómo se «truqueaban» las tomas. Durante el resto de la grabación nos movimos muchas más veces de lugar, aunque en pantalla nunca se notó nada de esto. Entendí que lo que se veía en la pantalla no era exactamente lo que de verdad había sucedido, era específicamente lo que el lente de la cámara había captado desde ese ángulo, en ese instante con lo poco o mucho que podía abarcar.

Primera lección: «Lo que vemos en la pantalla no es la realidad.» Lo que todos vieron como una sala muy cómoda e iluminada, realmente era un patio exterior donde se montó la escenografía. Mi mamá no era mi mamá y mi abuela no era mi abuela. La comida humeante que disfrutábamos era un montaje con cigarrillos escondidos, encendidos para poder ver el humo ascendiendo, jamás probamos bocado de ella. No hubo conversación de corrido y muy poco tiempo permanecimos en un mismo lugar.

Segunda lección: «Un comercial no dura 30 segundos.» Es decir, lo que la mayoría vio en sus pantallas como un comercial de 30 segundos, para mí fue todo un día de trabajo, donde arrancamos a las cinco de la mañana y finalizamos alrededor de las siete de la noche. Y, para el resto del equipo de producción, fueron días y semanas de preparación y de postproducción. Revelador, ¿no?

¿A dónde quiero llegar con todo esto? Quiero retomar las dos lecciones aprendidas y trasladarlas a la vida.

Primera lección: «lo que vemos en la pantalla no es la realidad» sería «lo que veo de la vida, no es la realidad». Suena rarísimo, lo sé.

Para explicar lo que sigue, necesitaremos apoyo de la ciencia —nada complejo, lo prometo—. El Dr. Bruce Lipton comenta en su libro *La biología de la creencia* que cada uno de nosotros está expuesto a una cantidad increíble de estímulos e información. Se ha calculado que son alrededor de 20 millones de estímulos por segundo los que recibimos a nivel subconsciente. ¡20 millones de estímulos por segundo! ¡Es muchísimo! Sin embargo, nuestra mente conciente es capaz de procesar solo 40. ¿Quieres verlo en números?

20,000,000	bits de información que recibimos subconscien temente, incluyendo estímulos externos que re gistran nuestros sentidos, así como estímulos in ternos que ni nos damos cuenta que existen: movimientos intestinales, temperatura corporal, funcionamiento de órganos, conexiones nervio sas, recorrido de la sangre, hormonas y demás.
40	bits de información que procesamos consciente mente, es decir: lo que notamos. ¡No es nada!

Dicho de otra forma —y para ser más visual— digamos que cada segundo de nuestra vida tenemos delante de nosotros una cantidad tal de información y estímulos equivalentes a todas las letras que aparecen en el libro *Don Quijote de la Mancha*, pero nosotros solo somos capaces de procesar el equivalente a las primeras 19 letras que aparecen en el mismo. Es decir, si nuestra realidad en un segundo es el libro completo, nosotros solo podemos procesar concientemente las palabras «En un lugar de la Mancha». Si el libro de el Quijote fuera todo lo que existe en este instante y «En un lugar de la Mancha» todo lo que nosotros tenemos capacidad de notar, caeremos en cuenta de que eso que yo llamo «realidad» realmente es solo mi ínfima versión de la realidad —mi pequeño lente de cámara— y que allá afuera hay grandes, diferentes y más enriquecedoras verdades de las que yo he percibido, de las que yo estoy notando, de las que yo he creído, de las que yo me he dicho toda mi vida.

¿A qué quiero llegar con esto? A lo que escribí hace unos párrafos: lo que vemos en la pantalla no es la realidad, no. Es solo la poca información que puedo obtener a través de un lente de cámara.

Y todos venimos con una sola cámara que puede captar unas pocas partes de la historia a la vez. ¿Te imaginas cómo sería ver una película o una serie de televisión si se proyectaran todas las escenas que la cámara puede captar al mismo tiempo en la pantalla? No entenderíamos nada. Necesitamos enfocarnos en una parte de la historia y luego enfocarnos en otra parte de la historia para poder encontrar sentido y orden. Así funciona nuestro cerebro al percibir todos los estímulos que nuestros órganos sensoriales le trasladan. Hagamos la prueba con la vista. Ahora estás enfocando con tu vista estas palabras y dejas de enfocar lo que está detrás del libro o el dispositivo en que estés leyendo, a menos que levantes la vista y enfoques eso que está detrás; pero, en el momento en que levantas la vista para enfocar lo que está detrás o arriba del libro, desenfocas estas palabras, ¿ves? Y con el resto de los sentidos funciona igual. Es más, si te enfocas en exactamente esta palabra, automáticamente estás desenfocando la palabra que está cuatro líneas más abajo, aunque estés viendo esta misma página. No puedes registrar todo lo que este pequeño pedazo de papel o pantalla te ofrece. ¡No podemos enfocar y registrar todo lo que pasa, todos los sonidos, todos los sabores o todos los olores al mismo tiempo!

Para mí ha sido crucial intentar recordar y tomar en cuenta estos datos en distintos episodios de mi vida. Ha marcado la diferencia en momentos tan sencillos como estar detenida en un atrancón de vehículos a media tarde, como también cuando me enfrento con algún problema personal. Todo el tiempo, todos los días, cada instante, estamos discriminando estímulos mientras elegimos enfocarnos en unos cuantos, y es con base en esos pocos que logramos registrar, que nos formulamos una idea de «la realidad» y creemos que eso es verdad, que es todo lo que existe. Y así nos llamamos a nosotros mismos «realistas». Qué soberbios, ¿no?

Recuerdo cuando mi hija mayor era bebé, tenía cuatro o cinco meses de haber nacido y yo ya había retomado mi rutina de trabajo en el programa de televisión en el que participaba. Mi asignación de la tarde había sido ir a grabar y producir unas notas sobre la educación que impartía un colegio en particular. Este lugar estaba a unos 10 kilómetros de donde yo vivía y la nota no debía de tardar más de una hora y media en realizarse. Si la nota iniciaba a las 3:00 p. m. lo más seguro es que estaría fuera a las 4:30 p. m. y me daba tiempo perfectamente para regresar a casa a las 5:00 p. m. en punto, hora en que Tita, la señora que nos ayudaba en casa —aún nos ayuda—, terminaba su jornada. Sin embargo, la grabación de la nota comenzó a las 3:45 p. m., por lo que no logré salir de ese lugar sino hasta a las 5:00 p. m. y, como te imaginarás, iba con el corazón en la mano. Apenas terminó la grabación, corrí a mi teléfono para llamar a Tita y decirle que llegaría a las 5:30 p. m., que me disculpara el retraso y que le agradecía su comprensión. Ella, amorosa y servicial como siempre ha sido, me dijo que no me preocupara, que allí estaría cuidando a mi bebé. Salí casi volando de ese lugar para llegar lo antes posible a casa, pero el tránsito a esas horas ya comenzaba a hacer de las suyas, así que la distancia que supuestamente recorrería en los primeros 10 minutos la logré recorrer en 20 y el tiempo se comenzó a duplicar rápidamente. A las 5:25 p. m. llevaba a penas un tercio del recorrido mientras pensaba «no llegaré a tiempo». Así que volví a sacar mi celular y me di cuenta que estaba descargado completamente. ¡No tenía cómo comunicarme para explicarle que llegaría media hora o 40 minutos aún más tarde!

Sufrí. Por mi mente desfilaban todas las razones por las cuales podía seguir sufriendo:

Era la hora de comer de Fernanda y yo la estaba amamantando, no había dejado ningún biberón de repuesto porque creía que llegaría a tiempo. Pensamiento: «¡La niña se ha de estar muriendo de hambre!» La señora no sabe que llegaré alrededor de las 6:00 p. m. y yo le dije que llegaría 5:30 p. m. Pensamiento: «¡Se irá a su casa y dejará a mi hija sola!» Tengo el celular descargado, voy en una carretera donde no hay un solo lugar dónde detenerme para llamar. Pensamiento: «¡Estoy incomunicada y no puedo hacer nada!» Llegaré tan tarde que la señora estará enojada porque la hice trabajar una hora más y renunciará. Pensamiento: «¡No tendré quién me ayude con la bebé cuando necesite ir a trabajar!» El tránsito no avanza y parece congestionarse más. Pensamiento: «¡Llegaré a media noche!»

Seguramente —al igual que yo, ahora— estás pensando «¡qué exageración! ¡qué dramática la Tuti!» Y sí, es verdad. Pero te traslado, así tal cual, las historias y pensamientos que mi mente barajaba en ese instante. Estuve por casi 40 minutos sufriendo en el tránsito: viendo los carros que no avanzaban, viendo el reloj cada tres minutos, volviendo a ver el celular a ver si de milagro se encendía y me permitía una última llamada. ¿Te ha pasado? Al llegar a una curva que tiene una vista maravillosa de la ciudad apareció ante mí un atardecer espectacular. Soy amante de los atardeceres, así que lo contemplé por los minutos que me permitía el ritmo al que se movía el tránsito y lo que duraba la curva; y, mientras lo hacía, me di cuenta de algo: dejé de sufrir en esos pequeños instantes en que mi atención se enfocó en los naranjas y amarillos que se mezclaban con las nubes en el cielo. Respiré profundamente y me di cuenta de cómo al mismo tiempo que yo pasaba un apuro también pasaban cosas maravillosas y que, si yo decidía apreciarlas —aún en medio de mi apuro—, mi mente se tranquilizaba y me permitía ver con mayor claridad lo que estaba pasando y, más importante aún, lo que me estaba haciendo sufrir realmente.

Sí, llegaría tarde a darle de comer a mi bebé, pero por una hora de retraso no se iba a morir. Sí, la señora no sabía que me atrasaría tanto, pero ella que también es mamá, jamás dejaría sola a una bebé de cinco meses. Además adora a Fer y ella es sumamente cuidadosa y generosa. Sí, tengo el celular descargado, pero sí puedo hacer algo: ser paciente, poner atención en el camino, ver el atardecer, poner música y tranquilizarme. Sí, llegaré tarde y tal vez la señora se moleste. Pero no renunciará por eso. Y sí, el tránsito está muy pesado, pero ¡no llegaré a media noche!

Había 20 millones de cosas sucediendo en ese momento y, como expliqué anteriormente, yo tenía la posibilidad de enfocar la totalidad de mi atención consciente en únicamente 40 de ellas. ¡Y yo la utilicé por un buen rato para notar las cosas que me atormentaban, las cosas que no podía controlar, las cosas que no habían salido como yo esperaba! Puse mi atención en el montón de historias irreales, dramáticas y exageradas que inventaba y, mientras lo hacía, me hundía más y me lastimaba más en mi versión de la realidad. En el instante en que mi atención —mis 40 bits de procesamiento consciente/mi lente de cámara— se enfocó en otro pedacito de la gran realidad que existía, logré encontrar un mejor equilibrio, ver otra perspectiva de la misma situación que me atormentaba, reinterpretar mi realidad y encontrarme con una realidad menos trágica de la que yo misma me pintaba en la mente cuando solo me enfocaba en lo que salía mal. Mis últimos 15 minutos de camino fueron un ejercicio de aprender a aceptar y notar las cosas buenas que también existían en ese instante, tratando de dar el peso justo a la situación y recordando que lo que estaba viendo a través de mi lente no era toda la realidad.

Desde esa ocasión, cuando estoy atravesando un momento estresante, frustrante, doloroso o triste, intento recordar que estoy viendo a través de mi pequeño lente y que todo lo que ahora veo no es todo o lo único que existe. Logro encontrar, poco a poco, muchas versiones de esa misma realidad y, al hacerlo, puedo elegir cuáles me hacen encontrar un mejor equilibrio para atravesar ese momento.

Vamos ahora con la segunda lección: «un comercial no dura 30 segundos» se traduciría como «la vida no son 30 segundos». Eso suena lógico, pero se nos olvida.

Como dije, vamos por la vida viéndola a través de un lente de cámara —una perspectiva muy reducida— y sucede no solo con lo que vemos y procesamos conscientemente, sino también con lo que pensamos o juzgamos. Por ejemplo, tal vez lo único que mi lente capta en un momento determinado es una mala cara de la persona que me está atendiendo en la tienda y, mientras veo eso, empiezo a sacar conclusiones, a creer cosas, a tomar una postura, a emitir un juicio —porque me he creído el cuento de que todo lo que veo a través de mi lente es la verdad y la única realidad— y entonces pienso: «¡Qué barbaridad! Qué pésima actitud, como si no le pagaran para trabajar. Yo no tengo la culpa de que viva su vida en amargura, si me hace un gesto feo más, me voy a quejar con el gerente y ojalá le llamen la atención, ¿qué se cree?»

Pero la vida no son 30 segundos. Esos pocos instantes en que vi a la persona bastaron para que yo me inventara toda una historia al respecto, sin saber si estaba pasando por un mal momento, sin saber que, a lo mejor, la acababan de despedir y estaba devastada porque no sabía qué haría para mantener sus gastos y pagar sus deudas, o si le acababan de dar una mala noticia sobre algún familiar querido, o si le dolía el estómago, ¡en fin! Esos minutos en que nosotros presenciamos algo en la vida tienen antecedentes, tienen historia, son el resultado de todo un proceso de vida que nos lleva a encontrarnos en ese pequeñísimo punto.

A principios de año me propuse algo que ha sido increíblemente revelador: poner atención a los juicios que emito e intentar no juzgar. Y esto va desde el clima, pasando por el tránsito y la forma de conducir de cada uno, alcanzando a mis seres queridos y, por supuesto, llegando hasta los políticos —esto ya es palabra mayor— y las situaciones sociales en el mundo. ¡Tremendo trabajito el que me puse! No voy a decir que a estas alturas soy una experta en no juzgar, porque si bien noto más los juicios que emito, no es tan fácil desprenderme de muchos de ellos. Me atrevería a decir que mi avance ha sido tal vez de un 10% y tal vez estoy agrandando los números. Pero ha sido sumamente liberador lo poco que he logrado. Liberador porque me deja un espacio para no pelearme con eso que me está disgustando o haciendo ruido en el momento y, en cambio, me da el chance de elegir tratar de comprender —al menos de reconocer— que no conozco toda la historia. Ese conductor que con su automóvil me rebasó tan rápido y atravesó la calle en «rojo menos cuarto», al que yo inmediatamente etiqueté de «imprudente», podría ser una persona a la que recién le avisaron que su mamá estaba muriendo en el hospital, podría ser un esposo rumbo al nacimiento de su bebé, podría ser que va muy tarde a su entrevista de trabajo, alguien que lleva acumuladas muchas frustraciones y enojos o alguien poco tolerante con los conductores lentos porque cuando era pequeño le exigían que hiciera las cosas rápido o se burlaban de su lentitud, ¿qué se yo? Esos 30 segundos que percibimos realmente son el producto de muchas cosas más que desconocemos y lograr verlo de esa manera nos libera y nos abre a la compasión y al perdón.

¿Lo que nos toca entonces es aprender a ver 3 minutos en lugar de 30 segundos? ¿O aprender a registrar 1,000 bits de información en lugar de los 40 que ahora puedo? ¡No! No estamos diseñados para ampliar tanto nuestra capacidad de registrar información conscientemente. Sin embargo, lo que sí podemos hacer es recordar que nuestra forma de percibir la realidad es limitada, que lo que estamos sintiendo y pensando, producto de lo que pasa en ese pedacito de realidad que percibimos, es solo *nuestra* versión, *nuestra* verdad. Si queremos ver y percibir más de esa realidad, tendremos que mover el lente de nuestra cámara, tendremos que desenfocar lo que enfocábamos para usar esa misma capacidad de procesamiento en enfocar y ver otras versiones de la realidad. Poco a poco, enfocando y desenfocando, moviéndonos de nuestra posición para que nuestro lente capte otras perspectivas y dejemos de ver solo lo que estamos acostumbrados a ver, podremos ir encontrando una realidad más completa y, mientras más logramos ver otros ángulos, más nos liberamos de la necesidad de aferrarnos a nuestra versión como la única y verdadera.

Este es uno de los principios que comparto en mis conferencias y talleres de *Vivir a colores*: aprender a *notar de manera diferente*. Recordar que, en cosas triviales como en situaciones más profundas, podemos elegir *notar* otros aspectos que conforman esa misma realidad y, una vez los detectamos, podemos elegir con mayor libertad qué nos enriquece más, qué nos da más paz, qué nos permite ser más conscientes y aportar más a nuestra vida.

¿No sería maravilloso descubrir que nuestra vida, tal cual nos la hemos narrado y creído hasta ahora, podría no ser del todo como nos la hemos pintado y ser mucho más generosa, completa y Feliz —sí, con F mayúscula—?

11

Censurada

Te quiero contar sobre la única entrevista en la cual fui censurada. Bueno, debo hacer la justa aclaración de que no solo yo fui censurada, fuimos censurados Carlos y yo.

¿Por qué se censura a alguien? Generalmente, porque lo que hace o dice va en contra de los valores, principios y creencias que un medio sostiene, tal vez atenta contra la «verdad» que ese medio predica y, en muchos casos, se hace simplemente porque «no es conveniente» para los intereses del medio.

¿A quién maltratamos? ¿Qué groserías dijimos o en qué pose poco pudorosa nos tomamos la foto para que nos hayan censurado? ¡Nada de eso! Ahora te cuento.

Las chicas estaban bastante más pequeñas y «la Tuti» cobraba un poco más de notoriedad en la sociedad guatemalteca gracias a los años que ya llevaba trabajando en medios de comunicación. Así que me solicitaron ser portada de una revista en la que planeaban incluir también a mi familia. ¡A mí me encantó la idea! Amo a mi familia y me entusiasmaba poder mostrarla y compartirla con quienes se interesaran en leer el artículo. Además, saldríamos en portada y todo... ¡más no podía pedir!

Nos citaron en un lugar donde podrían hacer varias tomas: solo yo, Carlos y yo, Fernanda y yo, Belén y yo, Carlos y Belén, Carlos y Fernanda, mis dos hijas y yo, mis dos hijas y mi esposo, y también todos juntos, por supuesto. Después de varias tomas, las chicas se comenzaron a cansar y su desesperación empezó a aflorar, acompañada de sus múltiples y honestas manifestaciones —no, tampoco va por allí la censura—.

Después de la sesión de fotos, mientras las chicas ya descansaban de las instrucciones, las poses y las luces, comenzó la parte de las preguntas para Carlos y para mí. Nos sentamos en una cómoda salita de cuero con algunas bebidas a la mano —no alcohólicas, tampoco va por allí la censura— y comenzó el bombardeo de preguntas:

¿Cómo se conocieron? ¿Cómo logran trabajar juntos? ¿Quién es más romántico? ¿Cómo se llevan con las chicas? ¿Es difícil combinar el trabajo en medios y la maternidad? —Últimamente, cuando me hacen esta pregunta me cuestiono por qué a los hombres no les preguntan si es difícil combinar su trabajo con la paternidad, como si se diera por sentado que ellos no combinan estas dos cosas o que les es sencillísimo hacerlo, y sé de buena mano que también puede ser complicado para los hombres, sobre todo para los que están decidiendo ser padres coeducadores y que también piden permisos laborales para ir a los festivales escolares, cuidar niños enfermos o ir de voluntarios a alguna actividad de los chicos... en fin.— Estuvimos tal vez unos 45 minutos o una hora conversando y respondiendo preguntas desde las más triviales hasta las más profundas. Fue un momento muy agradable, lleno de risas y bromas —sanas, que conste, tampoco va por ahí la censura— y, entre las preguntas que nos hicieron para explorar nuestra vida romántica saltó esta: «¿Qué se regalan mutuamente para ocasiones especiales: Navidad, su cumpleaños, aniversarios?» Carlos y yo nos volteamos a ver con complicidad, sonreímos y casi al unísono respondimos con mucha seguridad: «Nada.» «¿Cómo que nada? —preguntó la entrevistadora— ¿Nada, nada?» «Pues no» afirmó Carlos y, muy seguro y orgulloso de nosotros, explicó: «Hemos llegado al acuerdo de que no necesitamos ocasiones especiales para tener detalles el uno con el otro; pero, en ocasiones en que se acostumbra —o se ha impuesto— que la pareja debe regalarse mutuamente algo, decidimos eliminar el ejercicio. Nadie tiene que sentir que su regalo cuesta más o menos que el que recibe, ninguno tiene que quebrarse la cabeza para quedar bien con el otro; ambos acordamos no regalarnos nada material, pero sí construir algún momento especial para celebrar lo que estamos celebrando.»

Te imaginarás que yo, al lado de Carlos y mientras él respondía, mantenía una sonrisa orgullosa y enamorada; sí, justamente ese había sido nuestro acuerdo casi desde el inicio de la relación. Los regalos que nos damos pueden venir de cualquier forma en cualquier momento; pero, por regla, no hay intercambio de regalos obligatorio entre nosotros en las fechas convencionales. Te imaginarás también que nuestra respuesta sorprendió a quienes presenciaban esta entrevista. Algunos asentían divertidos y complacidos, mientras otros permanecían en silencio con el ceño un poco fruncido tratando de disimular su desacuerdo o desaprobación. Sabíamos que nuestra respuesta no era común, pero era la nuestra. ¡Y allí estuvo la censura!

Cuando la revista fue publicada, nos sentamos juntos a ver las fotos, a reírnos de algunas de ellas, enternecernos por otras y a leer el artículo; a ver cómo habían redactado toda la conversación y si habíamos logrado expresarnos bien en todo lo que quisimos transmitir —por experiencias anteriores, sé que los entrevistadores solemos interpretar de forma equivocada algunas respuestas y puede pasar que transmitamos mal la idea de nuestro invitado—. Todo iba muy bien cuando, al terminar de leerlo, nos dimos cuenta de que intencionalmente habían logrado incluir todas las preguntas que nos hicieron excepto una. ¡No habían incluido la pregunta de los regalos!

Yo no lo había notado, pero Carlos, quien es más detallista que yo en muchas cosas, me lo dijo con una sonrisa divertida: «¿Ya viste que no pusieron la pregunta de los regalos? Parece que no les pareció «glamurosa» nuestra tradición.» Nos reímos juntos y aceptamos que, efectivamente, nuestro modelo de celebración no era lo más llamativo dentro la línea editorial de esa revista; escribir que los personajes de su portada eran simples y tan diferentes de esas clásicas figuras de revista que se regalan autos, diamantes, mansiones, relojes, aviones y demás «detallitos» —que a muchos, en algún momento de nuestra vida, nos han hecho creer que lo hacen así para demostrar de cuánto amor y felicidad gozan— no era nada llamativo.

¿Qué hicimos al respecto? Lo mismo que nos regalamos cada cumpleaños y día de San Valentín... ¡nada! ¿Por qué? La verdad, porque esta experiencia, más que una situación para sentirnos mal o defraudados, ha sido una anécdota que nos encanta compartir.

Y, a todo esto, ¿qué tiene que ver la entrevista censurada con la Felicidad? ¡Pues mucho! Sirve como recordatorio de cuántos mensajes recibimos de «la receta perfecta» o «las condiciones necesarias» para poder optar a ser felices. El mundo, las sociedades, las culturas, las creencias que hemos ido estableciendo como humanos y la dinámica de nuestras relaciones en todos los ambientes nos están llevando cada vez más a creer que realmente existen elementos «indispensables» o «facilitadores» para ser felices y son justamente todas esas cosas que llaman la atención y salen en revistas, redes, medios, películas, anuncios, vallas y en donde sea; nos las han vendido fantásticamente bien.

Hemos escuchado y tal vez hasta creído algunas ideas que refuerzan el supuesto de que no somos nosotros los dueños o los responsables de nuestra felicidad. Lo más común es que creamos que existen muchas cosas, personas y situaciones «allá afuera» que podrían colaborar para que nuestra felicidad sea plena o real. ¡Y es lógico que pensemos así! Si desde pequeños hemos aprendido que todo lo de afuera —personas, cosas, situaciones— son las que dictan y hacen que nosotros nos sintamos bien o mal, que seamos felices o infelices, es lógico que esperemos que los cambios vengan desde afuera con la fantasía de que, cuando el exterior cambie, entonces nuestro interior se regocijará en pura felicidad.

Hemos confundido el valor exterior —decidido e impuesto por el ser humano a las cosas, al conocimiento, a las ocupaciones, a la productividad, a la apariencia y a las capacidades, entre otros— con el valor interior —que nada ni nadie lo da, todos lo tenemos, todos lo compartimos, somos parte de un todo y nuestro valor, aún siendo una partecita tan pequeña de tanta grandeza, es inalterable e innegable—. Pero, mientras nos sigamos enfocando en lo tangible, en lo visible, en las diferencias externas, más se nos olvida eso que tenemos en común, eso en lo que somos uno: nuestro valor —y, por lo tanto, el valor de cada creatura con la que compartimos espacio y vida—. Y, a partir de esa confusión, todo está patas arriba porque han surgido conceptos como «ser alguien en la vida» seguido de una lista larguísima —y a veces contradictoria— de cuáles deberían ser esos requisitos para «ser alguien en la vida» y, por lo tanto, «ser felices».

Ahora que escribo esto, recuerdo un video que me encantó e iba más o menos así: Una niña de unos cinco años le dice a su papá que quiere ser bailarina y él, muy serio le dice que no, que eso no le va a servir para su futuro, que mejor se ponga a estudiar, a hacer tareas y que cumpla con las actividades que le ha programado para que desarrolle sus habilidades y así pueda tener buenas notas, porque teniéndolas tendrá algún día un buen puesto con el que ganará mucho dinero. La niña lo escucha atenta y le pregunta: «¿Y para qué quiero yo tanto dinero?» Y el papá le contesta: «Hija, ¡para que puedas tener un buen futuro, estabilidad y no tengas que preocuparte por nada!» Y el diálogo sigue algo así:

—¿Y así estaré más contenta que haciendo lo que me gusta?

—Sí... o bueno, no, pero ya no tendrás más preocupaciones, eso es crecer y madurar.

—Entonces no quiero ser adulto.

—Eso no lo puedes evitar.

—¿Y tú hiciste todo esto, papá?

—¡Claro!

—¿Entonces, tú no tienes preocupaciones?

—Em... no— responde él dudando en su respuesta.

—Entonces, ¿tú eres feliz?

Después de un silencio y con cara triste el papá vuelve a mentir:

—Emmm... sí.

—Bueno, entonces haré lo que tú me digas, papá.

El papá la observa y analiza todo lo que acaba de decir y termina diciéndole:

—Espera, hija... ¿Quieres bailar conmigo?

Tal vez cambié algunas palabras, pero esta era la idea. Muchas veces solo recitamos como loros y seguimos como borreguitos las diferentes fórmulas que nos han implantado para ser felices, vamos caminando sin cuestionarnos, tratando de cumplir con cada uno de los pasos que esta fórmula nos dicta, perdiéndonos en todo lo que pasa afuera, en todo lo que se opina de mi vida afuera, en todo lo que se opina de nosotros y de nuestra felicidad afuera. Y dejamos de preguntarnos y de encontrar la propia fórmula desde adentro. Por eso, tantos que lo tienen todo se sienten profundamente vacíos, porque tratan de llenar desde afuera lo que solo puede llenarse por dentro; por eso cada vez más personas demuestran que pueden inventar su propia fórmula, porque nada es garantía de nada.

Nos han censurado la Felicidad simple, la que viene desde adentro, y nos la han querido cambiar por la *otra* felicidad, esa que tiene condiciones y requisitos que alguien más inventó para hacernos creer que por allí está la felicidad. En el libro *I Thought It Was Just Me*, Brené Brown hace la reflexión sobre cómo nos han hecho creer que valemos dentro de la sociedad solo si encajamos con estereotipos que obedecen a los intereses de unos pocos. Nos invita a reflexionar de dónde vienen estas creencias y a quiénes benefician, porque evidentemente no nos beneficia a los que caemos en esta trampa.

Brown comparte en este libro información interesante y reveladora como este dato que les comparto a continuación: «Hace 25 años, las modelos top y reinas de belleza pesaban solo 8% menos que la mujer promedio; ahora pesan 23% menos. La «media ideal» actual para mujeres es alcanzada por menos del 5% de la población femenina —y eso solo es en términos de peso y talla—.» ¡Lo natural es no tener la talla y el cuerpo de esas modelos! Sin embargo, seguimos creyendo que, mientras más «guapos o guapas» seamos por afuera —según esos estereotipos que siguen cambiando y que seguimos persiguiendo—, seremos más felices. Buenos amigos fotógrafos me han confesado que las mujeres más acomplejadas y que peor hablan de su cuerpo son las mujeres que son más envidiadas por otras, las que salen en portadas de revistas y en comerciales de ropa interior; sí, esas modelos que tienen las medidas, el vientre, los senos, la estatura, la nariz y todos los atributos considerados «ideales» por la moda del momento. La conclusión es que el cuerpo «perfecto» no te da felicidad. «Pero, Tuti, cuidarse es importante» me han dicho algunos cuando comento este tipo de cosas. ¡Y yo estoy completamente de acuerdo con eso! Cuidar nuestro vehículo, este cuerpo, darle el mejor combustible y mantenerlo lo más sano posible es importante una vez no creamos que todo nuestro valor está en cómo nos vemos por fuera; si caemos en esa trampa, entraremos en la «perseguidera del cuerpo perfecto» y en una de sus peores consecuencias: no sentirnos valiosos por lo que somos sino por cómo nos vemos o somos vistos y no valorar a los otros por lo que son, sino por cómo los vemos. Y esa es la receta perfecta para la infelicidad.

La invitación con todas estas historias es a revisar qué aspectos de nosotros mismos, de nuestros cuerpos, de nuestras costumbres, de nuestras condiciones, de nuestro modo de vivir hemos censurado o han sido censurados por otros por considerarse «poco glamurosos» o «llamativos».

Tal vez deberíamos recordar cómo nos veíamos al espejo cuando éramos pequeños, cuando nos encantaba posar y hacer caras para que nos fotografiaran sin pensar en la lonjita, en las arrugas o en la textura de la piel; cuando nos sentíamos orgullosos de ser nosotros. Tal vez deberíamos recordar cómo nuestras grandes y más valiosas posesiones eran el boleto roto del cine donde dimos el primer beso, la velita vieja de nuestro cumple número 10, la servilleta del primer avión en que subimos, la tarjetita ya amarilla en que la abuelita plasmó un beso con sus labios rojos. Sería lindo recordar que las cosas más valiosas eran las que más recuerdos, más alegrías y más vida representaban para *nosotros*, no para los otros.

Todos, viéndonos para atrás, podemos reencontrarnos con ese «yo» sin censura, con ese «yo» que no sabía y no creía que tenía que conseguir cosas para que otros decidieran si era valioso o no, si era importante o no, si podía ser feliz o no.

Nadie supo que dentro de esa entrevista había una pregunta que nos cuestionaba sobre qué nos regalábamos Carlos y yo para ocasiones especiales, nadie supo que esa respuesta censurada hablaba más de nuestra relación y de cada uno de nosotros, que la entrevista entera. Probablemente muchos asumieron que, por ser yo una «personalidad» en mi país, seguramente recibía regalos costosísimos y exotiquísimos y que eso era, seguramente, lo que hacía que yo fuera feliz. ¡Qué error!

Pero ahora tú sabes el secreto: cuando el mundo actual nos censure algunas cosas, no es señal de que vamos mal... a lo mejor y somos los que más cerca de la Felicidad estamos.

12

No todo el mundo es feliz: Las excepciones

¿Te acuerdas que en el capítulo 3 sugerí que renunciáramos a la búsqueda felicidad?

La escritora del libro *The Power of Meaning*, Emily Esfahani Smith, comparte que varios estudios han demostrado que buscar la felicidad puede producir el efecto contrario; es decir, hace que las personas se sientan infelices. Y, en su conferencia TED lanza la pregunta: «¿No es ilógico que, mientras la calidad de vida del ser humano ha mejorado en casi todos los estándares, existen más personas deprimidas, desesperadas y sintiéndose solas?» Y me encanta la manera en que lo cuestiona porque refuerza, una vez más, la teoría de que esa «felicidad» —entre comillas y en minúsculas, ¿te acuerdas?— no es lo que realmente buscamos, es lo que las sociedades y la cultura del consumo nos han querido vender como ese fin último por el que todos vivimos, ese motorcito que impulsa nuestras acciones y al que todos aspiramos: la verdadera FELICIDAD —sin comillas y en mayúsculas—.

Así que es lógico que, si estamos en la búsqueda de la «felicidad» a través de los métodos que nos han dicho que debemos seguir, no la encontremos y se nos siga escabullendo como agua entre los dedos cada vez que pensamos que ya la hemos atrapado. No, no nos confundamos, la FELICIDAD no se puede tener así como se tiene una posesión, así que no la busques, no la persigas, no la provoques, no la esperes a la vuelta de la esquina, mucho menos la compres ni le pongas condiciones —¡porque sí, la condicionamos muchísimo!—, no la envíes a hacer la fila detrás de las preocupaciones, los problemas, los pendientes, las carencias, tus sueños por cumplir y tu imagen de revista de «felicidad». Porque la FELICIDAD, que todo lo que busca es nuestro bienestar interior, es muy obediente y discreta; así que, si tú le dices que espere a que consigas el trabajo de tu sueños, la pareja perfecta o el cuerpo perfecto, ella esperará pacientemente ese momento en que la notes, porque siempre ha estado allí y seguirá allí, contigo, a pesar de todas las condiciones, pensamientos, creencias y circunstancias que te dicen que aún no puedes o no mereces ser feliz.

Hay una canción de un grupo argentino que me encanta llamado «Les Luthiers». De manera magistral, sus miembros hacen una combinación de composición musical, show y humor que es simplemente fenomenal. Compusieron una canción llamada *Solo necesitamos* —te recomiendo buscar el video, porque parte del encanto y la gracia es ver cómo la interpretan— y algunas de sus estrofas dicen:

Para ser felices solo necesitamos
respirar el aire puro
pero el aire está contaminado... oh oh

Para ser felices solo necesitamos
alimentarnos con comida natural
pero nos dan alimentos sintéticos... oh oh

Para ser felices solo necesitamos
Hacer el amor en la playa

pero las playas están contaminadas...

Para ser felices solo necesitamos
estar con todos los amigos
pero en la ciudad vivimos distanciados...

Y la canción está llena de necesidades que nos hemos planteado para ser felices y respuestas que la realidad da, hasta algunas bromas se cuelan por allí —¡mírala y escúchala!—. Se me vino a la mente porque de esa misma manera nos hemos creído muchos cuentos de qué es lo que «necesitamos» para ser felices. Y hay cosas que tal vez ya comenzamos a atrevernos a cuestionar, pero aún hay muchas más que siguen existiendo como condiciones irrefutables para ser feliz.

Haz conmigo este ejercicio: piensa en una imagen de una persona adulta feliz y ve respondiendo mentalmente estas preguntas con lo primero que venga a la mente: ¿Cómo ves a esa persona? ¿Cómo es su casa? ¿Cómo es su trabajo? ¿Quiénes son parte indispensable de su felicidad? ¿Cómo es su economía? ¿Cómo es su salud?

Te doy mis respuestas automáticas: Yo me imagino a una persona sonriente y atractiva, con una casita como de caricatura con sus paredes blancas techo rojo de dos aguas, con un jardín hermoso lleno de flores y un árbol, chimenea y una cerquita blanca que rodea el lugar; trabaja felizmente como cabeza de algún departamento importante de una gran empresa; por supuesto, tiene una familia hermosa con su pareja e hijos —al menos dos: niño y niña—, perro y gato incluidos; goza de buena salud, así como de tranquilidad económica.

¿Cómo te fue a ti? ¿Coincidimos en algo? Independientemente de si hayamos coincidido o no, me doy cuenta de que debo confesar algo que me llamó la atención mientras escribía todo esto: cuando comencé a escribir las preguntas, mi mente solita iba mostrando imágenes y esas imágenes que saltaban a mi mente, al pensar en una persona feliz, fueron dibujos... ¡como los que hay en los libros infantiles! Lo que me hace pensar que desde pequeños vamos aceptando los estereotipos y creencias de qué y cómo es una persona feliz. Interesante desde dónde sacó mi mente las imágenes de «persona feliz»: de mis primeros libros de cuentos o del cole, no de un ejemplo de la vida real, no de mí misma... Asusta, ¿no?

¿Cómo te sonaría esta descripción? Persona feliz: persona mayor, soltera, vive lejos de su familia, alquila un cuarto de una casa, tiene una discapacidad en una pierna, trabaja limpiando baños y gana lo necesario para comer y movilizarse en transporte público. Mientras leías esta descripción, ¿notaste alguna resistencia de tu mente de creer que alguien podría ser feliz de esa forma? ¡Aquí quería llegar!

Nos hemos creído que las circunstancias son las que nos facilitan e incluso nos permiten ser o no ser felices y por eso tenemos la tendencia a buscar ciertos patrones y tratar de replicar las «recetas de felicidad» que creemos que tienen otros.

¿Cuántas personas hemos creído que la felicidad llega cuando tenemos una vida en familia; es decir, si conseguimos una pareja estable, nos casamos y tenemos hijos? Pero, ¿y a quienes les ha ido mal en pareja o su pareja falleció o no les interesa tener pareja o buscan una pareja fuera de los parámetros que las películas y los libros infantiles nos han vendido? Y qué pasaría con quienes no desean ser padres o quienes no pueden tener hijos o quienes han perdido hijos o quienes ya no ven a sus hijos por diferentes razones, ¿estarían destinados a ser infelices?

Conocí a una persona que se separó físicamente de su pareja por motivos de trabajo; vivieron separados por alrededor de diez años y procuraban hablarse y mantener la relación a distancia. Ella se repetía una y otra vez que su felicidad estaría completa cuando él volviera o que sería feliz cuando lo volviera a tener a su lado, porque «una familia completa es una familia feliz» y cosas por el estilo. Cuando por fin llegó el día en que él anunció su regreso, ella no cabía de alegría: ¡por fin sería feliz! Ella estaba abierta y dispuesta a vivir enteramente su felicidad el resto de la vida junto a él... Entonces él volvió. En diez años ambos habían cambiado mucho, ya no sabían cómo convivir y compartir espacios, se habían acostumbrado a estar solos y a relacionarse digitalmente sin tener que lidiar con la presencia del otro y todos sus comportamientos; peleaban y discutían por cualquier cosa, no se sentían cómodos con esa nueva persona a quien encontraron y a quien desconocían casi por completo, y la relación los comenzó a desgastar. Después de unos meses ella confesó: «¡Qué absurdo! Era más feliz sin él y no me daba cuenta; pasé diez años creyendo que sería feliz solo a su lado y, ahora que estoy junto a él, reconozco que pude haber sido mucho más feliz si no me hubiera repetido constantemente que una persona sola, sin su pareja y sin su familia completa, no puede ser feliz.»

Y así podríamos hacer el ejercicio con todas esas situaciones y circunstancias en las que hemos creído que es imposible ser feliz: estar solo, no tener una pareja, no tener hijos, no tener familia, no tener los recursos económicos que quisiéramos, no tener estudios —de cualquier nivel—, no tener un cuerpo físico «atractivo», no tener algún talento, tener alguna discapacidad o enfermedad, vivir la pérdida de alguien amado y muchas otras más como las de la canción —seguro a ti se te ocurren algunas también—.

Pero, Tuti, si yo fui tan feliz con mi pareja y ahora ya no la tengo; si yo fui feliz, pero mis hijos se fueron a vivir lejos; si yo era feliz, pero mis padres fallecieron; si hay meses que no me alcanza el dinero; si no pude salir ni de la secundaria; si tengo sobrepeso y una nariz horrible; si tengo dos pies izquierdos, si soy muy torpe; si estoy perdiendo vista por la diabetes; si estamos viviendo en un mundo contaminado que se muere... ¿cómo podría ser feliz?

Sí, entiendo que cuando estamos atravesando algunas de estas circunstancias —que no son ni las más cómodas para nosotros ni las más fáciles de atravesar, porque nos retan y requieren de nuestro trabajo, paciencia, tolerancia, aceptación, madurez, inteligencia emocional, perdón, compasión, comprensión y demás— es cuando creemos que no podemos ser felices, que la vida está en contra de nosotros, que nos quiere destruir, que nos está arrebatando toda posibilidad de sonreír, de agradecer, de sentirnos vivos y de seguir adelante, ¿verdad? Y entiendo esas sensaciones, ¡yo también he tenido algunas de ellas!

Pero, a ver... intentemos ser objetivos y hagamos este ejercicio para revisar si realmente esas circunstancias son las que nos arrebatan la felicidad. Por cada una de estas situaciones que hemos nombrado —cuentan también las que a ti se te ocurrieron—, piensa en las excepciones; estoy segura de que has conocido a alguien que, aún atravesando por estas circunstancias, ha sabido ser feliz, ha mantenido su sonrisa y optimismo todo lo que puede, ha sacado el mejor partido de las peores circunstancias. ¿Se te vienen algunos ejemplos a la mente? Yo casi podría poner un ejemplo por cada una de estas ideas y situaciones que mencioné anteriormente. Te cuento tres ahora mismo.

Primer ejemplo: soy amiga de una maravillosa mujer ecuatoriana que perdió en un accidente a su esposo, gran amor y padre de sus tres hijas y, a pesar de la tristeza y el dolor que vivió con esta experiencia, decidió seguir adelante con toda su energía viviendo «un día a la vez» —filosofía que muchas técnicas utilizan basándose en una de las frases y ejercicios más poderosos de Alcohólicos Anónimos: «solo por hoy»— y así continuó con su vida, no solo sacando adelante a sus hijas, sino a ella misma también con la disposición de que su vida, su alegría y su felicidad no se apagaran. Ella se llama Úrsula Strenge.

Segundo ejemplo: tengo un par de amigos que, por diferentes motivos, se movilizan en silla de ruedas porque sus piernas ya no les permiten mantenerse de pie. Ambos se han dedicado a esparcir mensajes de inspiración, de vida y de felicidad a través de compartir en charlas, libros, entrevistas y talleres su propia experiencia de vida. Las circunstancias, por muy desfavorables que parezcan, no pueden definir cómo viven su vida. Uno se llama Alan Tenenbaum y otro JC Pérez.

Tercer ejemplo: conocí muy de cerca la historia de un jovencito que, por necesidad, tuvo que empezar a trabajar desde sus 12 años y, por lo mismo, tuvo que dejar la escuela en 5.° grado de primaria. Sin haber terminado el colegio y mucho menos tener la oportunidad de asomarse a una universidad, su entusiasmo, dedicación, pasión por aprender, actitud de servicio y optimismo lo llevaron a ocupar exitosamente un puesto de jefatura dentro de una planta hidroeléctrica, teniendo a su cargo a muchísimos ingenieros, técnicos y personas que cursaron muchos más estudios formales que él. Formó una familia que lo recuerda por su buen humor, su gran capacidad de amar y de disfrutar profundamente la vida; este personaje es mi abuelo, Víctor Urrutia, que en paz descanse.

Entonces, que este tipo de personas y estas historias existan son prueba viviente de que hay excepciones a la regla de «no se puede ser feliz con tal o cual limitación». Quiere decir que no todas las personas sin pareja son infelices; quiere decir que hay personas que tienen alguna discapacidad y que consideran tener una vida feliz; y que hay algunos que, sin tener todas las oportunidades en la vida, se sienten satisfechos y agradecidos con sus vidas. Y también, por otro lado, hay personas que son muy atractivas o que tienen fama y fortuna y han terminado con sus vidas; otros que, conviviendo con su pareja y con hijos, viven un infierno; y muchos con grandes oportunidades en la vida que se sienten insatisfechos y vacíos.

Si hay excepciones a estas «reglas» que hemos asumido como verdaderas en nuestras sociedades, quiere decir que no son verdades absolutas, quiere decir que *nosotros* también podríamos ser excepciones y ser felices aunque la sociedad y nuestras creencias nos digan que no tenemos las condiciones ideales en la vida. ¡Qué revelación! Quiere decir que no son las circunstancias las que hacen la felicidad sino es la persona quien, a pesar de las circunstancias, es feliz.

¿Cómo ser una excepción entonces? ¿Qué tengo que hacer para que, no importando las circunstancias que me toque vivir, pueda experimentar FELICIDAD?

Antes de responder a esas preguntas, quiero que notes algo con las historias que te conté anteriormente. ¿Te diste cuenta de que las describí en más o menos cuatro o cinco líneas? Son historias de personas que sé que han sabido ser felices a pesar de las circunstancias y las narré de una manera muy simple y breve. Y debo ser honesta, no es justo contar la historia de alguien de esa forma, porque la historia no está completa. Entonces, ¿por qué lo hice así? Porque es la forma en que generalmente vemos las historias de otros a quienes catalogamos como felices —las vemos como comercial de televisión de 30 segundos—. Encerramos en un párrafo toda su vida y se nos olvidan los bemoles, los contrapesos y los sinsabores; creemos conocer todo acerca de cualquiera porque conocemos una versión muy resumida de su historia. Pareciera como si esta mujer ecuatoriana, al día siguiente de que su esposo falleciera, hubiera salido cantando feliz a la calle; o si estos amigos, al momento de ser conscientes de que no podrían movilizarse con sus piernas, hubieran reído felices y agradecidos; o que mi abuelito, mientras se dedicaba a su vida de niño-adulto no deseó nunca poder jugar como los otros niños. Estoy segura de que no fue así, ¡porque no funciona así!

Que esas personas se definan o se consideren felices no quiere decir que todo el tiempo, cada hora, minuto y segundo de sus vidas —principalmente en los momentos de mayores pruebas— hayan sentido una FELICIDAD plena. Y el que no hayan experimentado la felicidad en algunos momentos de sus vidas tampoco quiere decir que no tengan el derecho de considerarse personas felices, ¡para nada!

Un momento no define una vida, pero la vida se define en un momento... ¡Este preciso instante! Y es por allí donde comenzaremos.

13
El regalo más grande

Mientras se dirigía a su discípulo Po, el maestro Oogway hacía esta reflexión: «Estás demasiado preocupado por lo que ya sucedió y por lo que sucederá. Hay un dicho que dice: Ayer es historia, mañana es un misterio, pero el hoy es un regalo. Por eso se llama *presente*.»

¡Adivinaste! La anterior es parte de una escena de *Kung Fu Panda*, aunque la frase se le atribuye también a Eleanor Roosevelt. Es una frase que, a pesar de ser famosa por haber sido incluida en una película infantil, no deja de tener sentido y, además, me parece hermosa y ciertísima. Y, basándome en ella, los llevaré un poquito más allá. Para mí el «hoy» aún abarca mucho tiempo: 24 horas son 1,440 minutos y estos, a su vez, son 86,400 segundos. Todos esos segundos caben en ese «hoy». Y administrar cada uno de esos 86,400 segundos de cada día es una tarea que solo puede realizarse en el instante mismo en que está transcurriendo ese segundo.

A mí me gusta hablar de instantes. Investigué cuánto mide un instante y encontré un artículo de la revista *Muy Interesante* donde refiere que la Real Academia de la Lengua Española lo define como una «porción brevísima de tiempo». Claro que la revista no se iba a quedar con esa definición tan simple y entonces se apoyó en la ciencia y buscó la medida exacta. Y, como a mí estos datos me parecen curiosísimos, aquí te dejo la información. Los científicos han logrado encontrar la, hasta ahora, «porción más brevísima de tiempo» y se llama *attosegundo*, que es la trillonésima parte de un segundo. Sin embargo, para los fines prácticos y didácticos de este libro, utilizaré la palabra «instante» para describir un segundo completo.

Entonces —y a modo de resumen— cada día tenemos alrededor de 86,400 instantes —86,400 *presentes*, 86,400 *regalos*, 86,400 *oportunidades*— para encontrarnos con la FELICIDAD.

¿Quiere decir que podemos estar los 86,400 segundos de cada día felices? No lo sé aún. Yo no lo he logrado y no sé si tal vez los grandes líderes espirituales, las personas que se consideran como las más felices o los grandes maestros de la meditación lo hayan hecho. Pero, lo que sí sé, por experiencia, es que si me dedico a administrar cada uno de estos instantes es mucho más probable que *descubra*, que *note*, que sea *consciente* y me dé cuenta de que mi «hoy» está más lleno de instantes de felicidad de los que normalmente noto. Comenzaré a darme cuenta de que el saldo de mi día, la suma de todos mis momentos, es mucho más satisfactorio porque cada vez estoy más presente en mis instantes, en mi presente.

Así que mi sugerencia es la siguiente: aprende a estar presente, a notar, a vivir cada instante que tienes entre las manos, solo ese. ¡Es mucho más fácil administrarlo y conseguir resultados! Notas este instante, decides sobre este instante y es en este instante donde verificas los resultados de este instante, así de simple. Hay una gran diferencia al pensar «trataré de sonreír y dar lo mejor de mí toda la vida» a pensar «trataré de sonreír y dar lo mejor de mí en este instante». ¿Notas la diferencia? ¿Notas cómo todo parece más fácil si nos enfocamos en este instante?

Y no, tampoco es la solución a todos los problemas. No es que al comenzar a notar y estar más presente en cada instante de nuestra vida, las situaciones que hemos llamado retos u obstáculos desaparezcan y todo sea miel sobre hojuelas —a que se te hizo agua la boca... ¡a mí sí!— porque la vida no funciona así y, por eso, quiero ir explicando poco a poco todo lo que implica este ejercicio.

¿Sabías que casi la mitad del tiempo que vivimos despiertos la pasamos pensando en cosas que no están pasando? Matthew A. Killingsworth y Daniel T. Gilbert, dos psicólogos de Harvard, realizaron un estudio con 2,250 personas cuyos pensamientos y actividades en diferentes momentos del día fueron registrados. Encontraron que el 47% del tiempo las personas pensamos en cosas que no están sucediendo en ese instante, lo que los condujo a la conclusión de que esta forma de funcionar que tenemos los seres humanos en que dedicamos tanto tiempo y espacio mental a cosas que no están pasando en nuestro instante presente viene con un costo emocional: «una mente que divaga es una mente infeliz» apuntaron los profesores; «de hecho, la frecuencia con la que nuestras mentes abandonan el presente y hacia dónde tienden a ir es un mejor predictor de nuestra felicidad que las actividades en las que estamos involucrados» apuntó Killingsworth.

¡Piénsalo! Cuántas veces al día estamos pensando en lo que pasó hace una semana, en lo que debimos responder a tal o cual persona en la conversación que sostuvimos hace un mes, en el comentario que escribió alguien en la foto que publicamos en nuestras redes durante la mañana o en lo que creemos que comentará en la que publicaremos más tarde, en la noticia que se hizo viral sobre lo que pasó del otro lado del mundo y lo mal que lo pasaríamos si eso mismo pasara en nuestro país, en lo que nos gustaría que pasara el fin de semana y lo que tememos que pase, en lo que nos contó el compañero de trabajo que le pasó al hijo del primo del vecino de la tía de la amiga de su esposa y lo que nosotros no quisiéramos que le pasara en veinte años a nuestro hijo que ni siquiera ha nacido...

Y, por el contrario, ¿cuántas veces al día estamos al cien por ciento presentes en nuestra realidad, en nuestro instante, notando, registrando y viviendo lo que sí nos toca ver, registrar y vivir en ese lugar en el que estamos, con las personas que sí nos toca estar en ese momento, poniendo toda nuestra atención a lo que sí nos toca experimentar en ese escurridizo instante llamado el *presente*? No muchas, ¿verdad? Es más, me atrevería a decir que son muy pocas.

En el libro *The Power of Now* (el poder del ahora), Eckhart Tolle lo dice claramente: «Date cuenta de que el momento presente es todo lo que tienes. (...) Nunca sucedió nada en el pasado; sucedió en el ahora. Nada sucederá en el futuro; sucederá en el ahora.» ¿Cómo así? Significa que eso que pasó ayer —por ejemplo, el desayuno que tomé en el aeropuerto— no sucedió en «el pasado» sino en «el presente» de ese momento; ahora ya lo veo como un acontecimiento en el pasado, claro; pero, mientras disfrutaba de ese desayuno, no estaba disfrutándolo en el pasado, estaba en mi *presente* desayunando en el aeropuerto. Lo mismo con el futuro, yo sé que mañana volveré a ver a mis hijas después de este viaje en el que me encuentro al momento de escribir este capítulo, pero no las veré en el futuro: las veré y abrazaré en el *presente* que en ese momento tenga, en el *ahora* de ese momento que visualizo en este instante como futuro. Espero haberlo explicado bien y no haberte confundido más. Lo que quiere decir esto es que todo cambio, toda acción que pueda modificar y afectar nuestra vida sucede *solo* en el *ahora*, solo en el *presente*. ¡Por eso es tan poderoso!

¿Y qué pasa si este instante no es así de lindo y generoso? ¿Qué pasa si a mi pareja lo llevaron al hospital y me cancelaron la luz porque no la logré pagar este mes y en mi país hay crisis política y social? ¡Justo aquí quería llegar! Porque tal vez todo lo que escribí antes suena muy bonito y relativamente fácil cuando las cosas no están color de hormiga; pero ¿qué hago si estoy metida en medio de dificultades y retos? La respuesta es simple también: ¡lo mismo! Solo estar presente en tu presente.

Me gusta poner ejemplos para que puedas interiorizar bien los conceptos y ejercicios que propone esta acción de «estar presentes en el presente». Una amiga que vive en otro país y es una figura bastante seguida, conocida y querida, me comentaba entre lágrimas que había una persona que la estaba acosando por las redes, que vivía con miedo, que ya había puesto denuncia y orden de restricción, que estaba en medio de un proceso de demandas y que ya llevaba unas semanas en ese estrés. «¿Cómo puedo vivir diferente esta situación si sigue siendo un tormento?» me preguntaba. La invité a notar instantes dentro de ese proceso que, sin duda, era desgastante y aterrador para ella. Le aconsejé «Nota instantes, solo eso: pedacitos de momentos que en tu día a día están bien; instantes en que nada está amenazando tu vida y no está pasando nada. Nota cómo sí tienes momentos en que estás a salvo, estás con gente que te ama y te cuida, estás hasta sonriendo y pasándola bien. Eso no es negar que haya un problema... Notar esos instantes generosos que todos tenemos —sí, incluso en medio de tormentas— es como tener flotadores de los cuales nos podemos ayudar para no hundirnos. Nota, por ejemplo, este momento. Estás en un país diferente donde no está tu problema, estamos en un café, estamos hace dos horas sentadas, conversando, tomando un exquisito licuado de frutas, un par de personas amables se han acercado a saludarnos y hasta a sacarse fotos con nosotras, nos hemos reído de un par de chistes y situaciones graciosas que hemos vivido y, por estas dos horas, nada ha amenazado tu vida. Todo el tormento que pudiste haber experimentado en el transcurso de estas dos horas no vino de la realidad, vino de tu mente reviviendo lo pasado o inventándose un futuro dramático y cruel.» Ella sonrió y me dijo «Es verdad, tal vez tenga más momentos reales de paz de los que notaba o pensaba. Podría decir que, en este instante, estoy bien.»

En mis conferencias suelo hacer este ejercicio —a mí me parece revelador, porque también es un recordatorio para mí misma— y hago esta pregunta: «¿Quién tiene problemas aquí? Que levante la mano.» Y la audiencia entera suele levantar la mano entre risas como diciendo «¡Ay Tuti, qué pregunta! Todos tenemos problemas.» Y entonces pido que vuelvan a bajar las manos y digo «Voy a repetir la pregunta porque parece que no me entendieron bien: ¿Quién tiene problemas *aquí*? (y hago énfasis en el *aquí*)» y entonces, casi al unísono y después de una pausa de apenas un par de segundos, se escucha con alivio un «¡Ah, no! ¡Aquí, *aquí*, no!» y entonces hago la siguiente reflexión: «¿Por qué hace un momento tenía todo un auditorio lleno de personas con problemas y ahora ya no lo tengo? ¿Qué pasó? Se los diré: nos situamos *aquí* y *ahora*.»

Es un ejercicio muy simple que a lo mejor tú también hiciste mientras leías estas líneas. *Aquí* y *ahora* todo está bien, *aquí* y *ahora* no tengo problemas, *aquí* y *ahora* noto que me puedo dar el permiso de descansar de todo ese baile en mi cabeza de pasado-futuro que tanto ensaya mi mente y que me lleva a escenarios que me desconectan de la realidad y me hacen creer que estoy viviendo algo diferente a lo que de verdad estoy viviendo, algo que me atormenta, me estresa o me hace sufrir.

Me encanta darme cuenta de que ninguna experiencia, por muy difícil, retadora o complicada que me parezca, es del todo negativa ni es siempre mala. ¡No puede serlo! La prueba la vivimos a diario; pero, para irnos a ejemplos extremos, recordemos alguna vez que hayamos estado en el funeral de algún ser muy querido. ¿Recuerdas cuánto dolía su partida y cómo llorabas cada vez que alguien te abrazaba? Yo sí recuerdo un par de ocasiones muy tristes; sin embargo, también puedo notar que, de las siete u ocho horas seguidas que estuve en algunos de estos funerales, no estuve todo el tiempo llorando desconsoladamente. ¡Seamos honestos! Sí recuerdo momentos en los que me rodaban las lágrimas, otros en los que no podía dejar de sollozar como niña pequeña y algunos en los que parecía que no tenía fuerzas para seguir llorando, pero también otros más en los que los recuerdos me arrancaron una sonrisa y despertaron sentimientos hermosos, incluso hubo momentos en que tuvimos que salirnos del lugar de la risa contenida por un chiste o alguna situación embarazosa que pasaba; también recuerdo muchos «te quiero», «aquí estoy para ti», «deseo que estés bien», »ánimo» y otras muchas expresiones de afecto verdadero... ¿lo logras ver tú? Eso quiere decir que, en unas cuantas horas que bautizamos como «dolorosas» también podemos contabilizar infinidad de instantes en los que «estuvimos bien».

El regalo más grande que se nos da es este. Este instante. Tómate unos segundos para levantar la vista del libro y pasearla por lo que te rodea... ¿puedes notar todo lo que está bien aquí y ahora? ¡Vamos, hazlo ahora!

Haré yo el ejercicio contigo: en este momento en que escribo esta parte del capítulo, estoy sentada en un restaurante y noto esto: una mamá le da de comer a su bebé mientras hace la mueca de ella estar tomando la sopa —todos los papás que hemos dado de comer a nuestros hijos lo hicimos alguna vez y este recuerdo me despierta ternura—, acaban de pasar al lado de mi mesa dos mujeres conversando alegremente en una sola carcajada, una mesera le sonríe a un caballero de quien está tomando la orden y él le devuelve la sonrisa agradeciéndole su amabilidad —sus ojitos se ponen como medias lunas al sonreír y se ve tierno—, hay una música de fondo que me gusta y el ambiente es agradable —qué suerte que traje mi sudadero de Mickey que es tan suavecito y calientito—, por la ventana veo a un joven de la mano de su hermanita menor —supongo— que hace la mímica de correr junto a ella a toda velocidad mientras ella va sonriendo poniéndole alma y corazón a la carrera... ¿sigo? No tienen que pasar cosas extraordinarias en la vida para que notes lo extraordinario de la vida en su simplicidad. Este instante está lleno de regalos que llegan a mí, que ya tengo o que puedo contemplar y disfrutar. Y tengo la teoría de que, si yo puedo contemplarlo, entonces es para mí también, aunque yo no sea la protagonista.

La felicidad no es una consecuencia que viene después de superar los retos; la FELICIDAD es una herramienta que te ayuda a pasarlos. ¡Es verdad! Esa herramienta la encuentras en el presente, solo si estás presente y no te empeñas en interpretarlo.

¿Interpretarlo? ¿Cómo así?

14

No es lo que vives, es lo que crees que vives

El presente es un regalo, comentaba en el capítulo anterior, y suele ser muy generoso.

«Tuti, pero hay momentos en que ese presente es un desastre, es doloroso, es estresante, es caótico, es peligroso y muchas cosas más. Hay presentes que no son tan generosos como los describes.» No sé si a ti también se te ocurrió este comentario o si solo fue a la «Tuti resistente» que llevo yo también y que se opone a todas las ideas nuevas que van en contra de lo que siempre he creído, esa que se esfuerza en encontrar excepciones para desmontarme los nuevos puntos de vista o para tirar abajo las herramientas que le propongo para ir despejando la vida y «vivir a colores», como me gusta llamarle. ¡Claro que sí! Yo tengo una de esas aquí dentro de mi mente y seguramente tú tendrás una de esas también. Lo bueno es que descubrí que, al hacerme todas estas preguntas, cuestionarme e intentar ponerme contra la pared, me ayuda a que yo aterrice mis ideas y las aclarare más, a estar más en paz con eso nuevo a lo que me estoy abriendo, porque ella me ha ayudado a desestimar algunas ideas también. Esa «Tuti resistente» es mi amiga y me ayuda a darme cuenta de si estoy clara o no en lo que estoy pensando, sintiendo o aprendiendo.

Y, entonces, ¿qué hay de los momentos presentes que son desastrosos, dolorosos o peligrosos? Allá vamos. Sí, hay momentos así. Pero incluso momentos como esos no son tan desastrosos, dolorosos, estresantes, caóticos y peligrosos como nosotros creemos y te explico por qué.

Pasa algo extraordinario en cada momento de nuestro presente y es que, aunque estemos atentos a lo que sí está pasando en ese instante afuera, nuestra mente se empeña en interpretar, en dar significados, en armar historias alrededor de lo que está sucediendo y en proyectar futuros, alterando completamente el significado que dicho instante tiene. Si a algo que está pasando yo le doy el significado de peligro, estrés o dolor, entonces yo me conectaré con pensamientos y emociones de peligro, estrés y dolor; por lo tanto, mi experiencia en ese instante se volverá —¡adivinaste!— de peligro, estrés y dolor.

Entonces, aunque estemos presentes en ese lugar notando todo lo que en ese instante sucede, si estamos interpretando la situación de tal forma que la experimentamos no de acuerdo a lo que está pasando sino de acuerdo a lo que *nos decimos* que está pasando, viviremos conforme a nuestra mente y no conforme a la realidad, y así no lograremos «vivir a colores».

Te pongo un ejemplo para hacer más claro mi punto. Digamos que sí estamos presentes en un momento dado; hablaré de algo que es muy común y que todos hemos experimentado: un atrancón de tránsito.

Estás allí, en tu vehículo o en el bus, sin moverte medio centímetro ni para adelante ni para atrás, el reloj avanza como si le pesaran las agujas, todos alrededor bocinan, hay un camión atravesado que complica más las cosas, la policía de tránsito brilla por su ausencia justo cuando el semáforo se arruinó, llevas allí 45 minutos y ya te hierve la cabeza. ¿Por qué? ¡Pues, es lógico! Por todas las razones que acabo de nombrar; porque es desesperante estar sin movernos por tanto tiempo, es estresante vivir en una ciudad donde pareciera que —a donde te muevas— nunca llegarás a casa, es molesto pasar todo el tiempo del mundo en el tránsito, es indignante que las autoridades no cumplan sus funciones y no piensen en solucionar ese problema de una vez por todas y, para colmo, todo el mundo se conduce como energúmeno y a la defensiva, poniendo en riesgo al resto de conductores.

Bien. Ahora, hagamos el ejercicio de analizar por qué realmente nos hierve la cabeza. Y no, no es por todas esas explicaciones que parecen muy racionales y lógicas que tan hábilmente propuso la «Tuti resistente». La razón verdadera de por qué nos hierve la cabeza es porque creemos que es verdadero el significado que nuestra mente ha dado a todas esas razones que hemos expuesto. ¿Y qué significado es ese? Revisemos los argumentos de la «Tuti resistente». Y me gustaría que prestaras especial atención a lo que aparecerá en *letra cursiva y entre paréntesis* para que lo entiendas mejor.

«...porque es desesperante estar sin movernos tanto tiempo» (*¿45 minutos sin movernos es desesperante? ¿qué hacemos en las películas o un viaje largo?*) «...es estresante vivir en una ciudad donde pareciera que —a donde te muevas— nunca llegarás a casa» (*¿en serio nunca llegarás a casa? ¿Jamás en la vida?*) «...es molesto pasar todo el tiempo del mundo en el tránsito» (*y, cuando estamos enamorados, ¿no podemos estar horas de horas estacionados con nuestro amor solo viéndonos a los ojos románticamente?*) «...es indignante que las autoridades no cumplan sus funciones y no piensen en solucionar ese problema de una vez por todas» (*¿de verdad las autoridades no piensan en ningún momento solucionar ese problema? ¿jamás se les ha ocurrido? ¿has estado en reuniones con ellos para estar seguro de esto?*) «...y, para colmo, todo el mundo se conduce como energúmeno y a la defensiva poniendo en riesgo al resto de conductores» (*¿todo el mundo hace eso? ¿no hay al menos algún otro vehículo que también esté respetando la fila y las normas de tránsito? ¿y de verdad están poniendo en riesgo al resto de conductores? ¿qué está pasando ahora mismo que sea realmente peligroso?*)

¿Lo ves? Si yo tomo como verdad absoluta el pensamiento «nunca llegaré a casa», ¡claro que me asustaré! Y si yo creo literalmente el pensamiento «estoy en peligro mientras los autos no se mueven», ¡claro que estaré paranoico y con mis mecanismos de defensa a todo lo que dan, pues quiero salvar mi vida!

Aún estando en el momento presente notando todo lo que está sucediendo, tenemos el riesgo de no vivir simplemente lo que nos toca vivir; porque, con todo el significado que le damos a lo que pasa, cambiamos completamente el peso que tiene. Y, como generalmente nos tiramos mentalmente al drama y a las películas de acción, lo que veremos en nuestro presente no son autos sin moverse sino un monstruo insoportable que está fuera de sus casillas, poniendo a todos en peligro y que hará que, como sociedad, nos volvamos locos todos... ¡Vivimos más en nuestra mente que en nuestra realidad!

¿Y por qué funcionamos así? No hemos aprendido a estar en nuestro presente sin imponerle un significado que, según nosotros, nos ayuda a saber qué viene y cómo debemos actuar ante ello. ¡Nos encanta seguir manteniendo esa fantasía de control! Pensamos que, si comprendemos bien algo —una persona, una situación, una cosa—, sabremos cómo anticiparnos para que ese algo no nos afecte de forma negativa, al fin y al cabo lo que buscamos es estar bien, estar en paz y felices, ¿cierto? ¿Y qué mejor forma de comprender algo si no es asociándolo con conceptos y significados, que a su vez están asociados con otros conceptos, significados y emociones? Y, así, las cosas dejan de ser lo que son para pasar a ser lo que nosotros *creemos* que son.

Y entonces rechazamos todo lo que va pasando en nuestra vida y que evaluamos como «inconveniente» o «malo» —según esas ideas a las que lo asociamos—; nos resistimos y luchamos con todas nuestras fuerzas en su contra, incluso sin saber a ciencia cierta qué vendrá después de eso. Y, por el contrario, recibimos de buena gana todo lo que pasa y que evaluamos como «conveniente» o «bueno» —según esas asociaciones—; lo celebramos y fluimos aún sin saber si luego eso derivará en algo no tan conveniente.

Sígueme en este ejercicio. Imagina que te cancelan un viaje. Seguramente te enojarás o te frustrarás. Tal vez te pondrás triste porque la cancelación de un plan que te causaba tanta ilusión no es algo divertido. —Lo hemos asociado como algo «no conveniente».— En tu mente, lo «conveniente» para ti era realizar ese viaje, porque te imaginaste y, aunque no tenías la certeza, te creíste todos esos pensamientos e historias que giraban alrededor de ese viaje, que todo sería bonito, perfecto y «conveniente», —¿cierto?—.

Ahora bien, si con anticipación supieras que se canceló el viaje porque te iba a pasar algo «inconveniente», lo agradecerías en el momento en que se cancelara. Imagina que cuando te notificaran te llegara un mensaje así: «Estimado(a) ______________: Te notificamos que tu viaje ha sido cancelado porque sabemos con certeza que el avión en el que viajarías a tus vacaciones no está en buen estado; hemos corroborado que sufrirá un desperfecto en sus motores durante su trayectoria, poniendo en riesgo tu vida y la de quienes te acompañan. Por lo anterior, hemos decidido suspenderlo. Agradecemos tu comprensión.» ¿Cómo reaccionarías? Posiblemente digas «Ah, ¡qué lástima! Pero ¡qué bueno que lo cancelaron! Agradezco que lo hayan hecho.» ¿Tengo razón?

Ahora imagina qué pasaría si tu pareja decidiera irse de tu lado pero pudieras tener la certeza de que estarás muy bien sin esta persona, si supieras que con el tiempo te volverás más fuerte, más libre, más feliz y más tú mismo(a) una vez ya estés sin ella. ¿Qué pasaría? Tal vez hasta celebrarías o agradecerías el momento en que te dice que se va, ¿no?

Sin embargo, como no conocemos el futuro, preferimos aferrarnos a las pocas cosas que saltan como «verdades» en nuestra mente tratando de explicar eso que está pasando y no tiene sentido porque va en contra de lo que creíamos «conveniente». El diálogo interno, al no tener la información de lo que viene, va más o menos así: «Se canceló el viaje, ¡qué barbaridad! Solo a mí me pasan estas cosas. Soy el imán de la mala suerte, ¡qué molestia haber perdido tanto dinero!» Y, en el caso de la pareja, las «explicaciones» que saltan son peores: «Me deja mi pareja... ya no valgo nada, me engañó todo este tiempo, soy una tonta por permanecer aquí, ahora nadie me querrá, la gente se reirá de mí o me tendrá lástima.»

En nuestra mente creíamos conveniente realizar el viaje y que esa persona permaneciera a nuestro lado; por eso, cuando la vida nos presenta situaciones que van en contra de eso, nos molestamos con la vida y con nosotros mismos y nos resistimos a pensar que eso que es «inconveniente» podría estarnos llevando por un mejor camino, aunque aún no lo veamos. Es allí cuando comenzamos a creer todas esas razones que nos damos para pensar que eso que está pasando no es lo mejor para nosotros; pero, —¿adivina qué?— ¡todo eso que nos decimos son mentiras, porque todo lo estamos imaginando! Como no tenemos información, nuestra mente se la inventa y llena espacios vacíos lo mejor que puede. Sin embargo, la realidad es que lo hace muy mal; siendo sinceros, no es muy talentosa para hacerlo. Nos pinta los peores y más terroríficos escenarios, fuera de la realidad, sin tomar en cuenta probabilidades, sin voltear a ver las estadísticas, atacando nuestra estima y autoconcepto, y busca constantemente a los culpables de nuestras emociones. Y, ojo con esto: ningún acontecimiento tiene un significado predeterminado, la carga que pueda tener ese suceso se la hemos puesto nosotros con nuestra mente.

He escuchado a muchísimas personas decir cosas como que fue gracias a ese tumor tan terrible que ahora aprecian la vida de forma diferente, que vivían en un mundo superficial y vacío y ahora sí pueden decir que viven intensamente; que gracias a estar desahuciados por la medicina tradicional, han encontrado otros caminos para su vida y su propia sanación, y han encontrado su misión y hasta aprendido a ser congruentes consigo mismos y vivir en libertad; que gracias al cáncer que tuvieron tomaron las más radicales decisiones de sus vidas que desafiaban muchos estereotipos e imposiciones sociales, pero por eso mismo se liberaron de vivir en una relación tormentosa y violenta, aprendieron a valerse por sí mismos y ahora viven en paz; que gracias al derrame cerebral que atravesaron encontraron su verdadera pasión en la vida y, aún con la discapacidad que les dejó, son más felices que nunca y viven agradecidos con lo sucedido; que gracias a perderlo todo, materialmente hablando, se plantearon su vida desde otra perspectiva y se reinventaron, sin miedos, sin apegos y con libertad.

Podría seguir escribiendo frases como estas que he escuchado de primera mano y conozco muy de cerca, pero me detengo aquí porque creo que el punto al que quiero llegar lo has comprendido ya. Es necesario preguntarnos cómo hubiésemos sido nosotros ante esa situación que tanto nos resistimos a atravesar, con la que tanto peleamos, que tanto maldijimos y que tanto rechazamos, si hubiésemos estado abiertos a pensar que eso pasaría y nos llevaría a un buen puerto.

El mejor ejemplo que la vida misma nos da es con el milagro de la maternidad... ¿Tú crees que con las incomodidades de nueve meses, la revuelta de hormonas, los dolores de parto y demás, las mujeres volveríamos a estar dispuestas a tener bebés, si todo esto solo se quedara allí? Me atrevería a responder con un rotundo no. No tendría sentido mantener un embarazo, aguantar náuseas, cambios físicos, emocionales y hormonales, no saber en qué posición dormir, tener agruras y pasar dolores para que, al final, solo lo contemos como una anécdota desgastante de una etapa de nuestras vidas. Todo eso lo pasamos —algunas con más incomodidades que otras— porque ya tenemos la certeza de que vendrá algo maravilloso, ¿cierto? ¡Sabemos que llegaremos a un buen puerto!

Hace unos años, estaba yo jugando con las niñas y Belén se me trepó para que la cargara —ojo, que Belén habrá tenido unos siete años, no era una niña tan pequeña—. Mientras me rodeaba el cuello con sus brazos y la cintura con sus piernas, «como monito», según dice ella, me pidió que no la abrazara de vuelta porque ella se soltaría sola. Traté de obedecer, pero cuando sentí que estaba soltándose de sus brazos pero no de sus piernas y desfiló en una trillonésima de segundo o, mejor dicho, en un attosegundo —para usar el vocabulario técnico que aprendimos—, la escena de ella cayendo de espaldas al piso y dándose un golpazo horroroso que la dejaba inconsciente —sí, así de dramática puedo ser en ciertos attosegundos—, instintivamente cerré mis brazos para atraparla y evitar el desastre que ya había anticipado mi mente maquiavélica. Pero Belén no había planeado solo soltarse de los brazos sino ya tenía calculado el tiempo para soltarse de brazos y piernas y caer en el suelo con una gracia maravillosa. Mamá no lo sabía y entró en pánico. Al momento de cerrar mis brazos con tanta fuerza para, según yo, —salvarle la vida—, golpeé los dedos de mi mano izquierda contra la palma de mi mano derecha y ¡crac!... Algo tronó por allí. Me quebré un dedo. Me dolió muchísimo —¡no sabía que tenía tanta fuerza, ja ja ja!— y se comenzó a inflamar y a poner morado, así que decidimos ir al hospital. En el camino, con todo el dolor que sentía y mientras se me escurrían las lágrimas, me puse a pensar que en unos días estaría riéndome y haciendo chistes del suceso —¡no sabía que, además, quedaría inmortalizado en un libro!— y decidí no hacer más drama del necesario y comenzar a bromear desde ya con el asunto; debo dar crédito a Carlos, que me ayuda muchísimo a sacarle la parte graciosa a todo. Así que juntos llegamos al hospital a sacar radiografías, a acompañarnos y a hacer chistes para seguir sonriendo y pasar la hoja más rápido. Ejercicio aprendido. No siempre es fácil pasar momentos dolorosos entre risas, ni todos los momentos tendrán esas ventanas de oportunidad de hacer un chiste en medio de la incomodidad, lo entiendo.

Sin embargo, el ejercicio que planteo es: intenta pensar cómo estarás contando eso en algunas horas, días o meses cuando ya todo haya pasado; tal vez te sorprendas a ti mismo viéndote con más fuerza o muerto de la risa o con más sabiduría o con mayor entendimiento e incluso con gratitud. ¿No nos sirve más proyectarnos de esa forma, que si nos vamos por las novelas o las películas de vaqueros que armamos en nuestra mente? ¿No es más realista visualizarnos en un punto donde ya todo pasó —porque todo pasa y eso es una certeza— y ya tenemos una visión diferente del asunto? ¿No nos serviría más hacerlo de esa forma para atravesar el presente en lugar de hacerlo dramáticamente? No quiere decir que si lo hacemos de esta forma el dolor desaparecerá en ese instante, no; estaría mintiendo si te dijera que eso será así. Solo quiero invitarte a contemplar cuán diferente sería vivir ese mismo dolor o momento incómodo cuando, en lugar de contemplar más dolor y oscuridad, comienzas a contemplarte a ti mismo desde la sabiduría y la luz. ¿No es allí a donde todos debemos llegar, al fin y al cabo?

En el libro *Comer, rezar y amar*, Elizabeth Gilbert comparte una creencia zen budista que dice que un roble es creado por dos fuerzas al mismo tiempo: está la fuerza del potencial de la semilla que crecerá hasta convertirse en roble —esa es la parte que todos conocen y pueden ver—, pero solo algunos reconocen que hay otra fuerza operando también: el futuro árbol que desea tanto existir que jala a la semilla a la existencia, guiando su evolución de la nada hacia lo que sabe que será. Esta creencia dice: es el roble el que crea la semilla de la que nació. Hermoso, ¿verdad?

No es lo que vives, es *cómo* lo vives. No es si logras atravesarlo o no, es *cómo* lo atraviesas. No es qué tan rápido transitas los senderos sinuosos, es *cómo* los caminas, quién *eres* y en quién *te conviertes* mientras pasas lo que estás pasando. ¿Podrías situarte desde ese alguien más sabio, más sereno, menos complicado, más despierto y evolucionado que serás —el roble— para también darle fuerza y energía a este «tú» en estado de semilla y que está rompiéndose mientras se desprende de la cáscara para sacar raíces y un hermoso tronco? ¿Cambiaría la forma en que transitas ese presente si logras contemplarte desde esta otra perspectiva?

¿Somos de los que queremos tener la razón a toda costa o somos de los que aceptan que hay una sabiduría mayor que muchas veces no coincidirá con nuestros caprichos y gustitos? ¿Creemos verdaderamente que esta parte sabia que también somos es la que va cuidando el recorrido de nuestra vida, buscando que siempre haya un buen puerto detrás de los caminos «inconvenientes» y las lecciones?

¡No es lo que vives, es lo que *crees* que vives! Entonces, ¿cómo empezar a creer que las cosas aparentemente inconvenientes pueden estar jugando a tu favor?

15

La lección del coronavirus

Eran los últimos meses de 2019 y ya se estaba llenando la agenda para el año 2020. ¡Qué emoción! Desde octubre o noviembre quizás ya tenía varias invitaciones para viajar a diferentes países a dar conferencias y eso me emocionaba y halagaba muchísimo. Las contrataciones, los eventos y las conferencias estaban a tope, incluso comenzamos a rechazar algunas de ellas porque ya teníamos programado algún viaje o alguna otra actividad en las fechas requeridas. ¡Qué bendición! Ni bien se acababa un año y ya sabía cómo estarían los primeros tres meses laborales del siguiente... ¿no es eso un regalo?

Comenzó el famoso 2020 y, apenas unos días después de año nuevo, comenzaron las giras tanto dentro de mi país, Guatemala, como fuera de él. Mientras tanto, seguíamos recibiendo invitaciones para ir a dar conferencias por todas partes. Así que tuvimos en todo enero, febrero y la primera semana de marzo tres talleres, trece conferencias, nueve viajes, doce entrevistas y quince *lives*... Uf... ¡el año venía con todo! Avanzaba enero y ya teníamos programadas conferencias y talleres en El Salvador, Panamá, Nicaragua, Perú y Argentina, y se estaban terminando de coordinar otras actividades en México, Colombia, Ecuador y Uruguay. ¡Y eso era solo para mayo y junio! ¡Qué felicidad! Además, estábamos dando seguimiento a planes para, en los primeros meses del segundo semestre del año, volver a México, España y Bolivia! ¿Te imaginas cómo estábamos de felices y agradecidos? Nos estábamos preparando para un año de trabajo, bendiciones y expansión muy fuerte.

Pero, ¿notaste algo en los meses que mencioné? *Enero, febrero y primera semana de marzo*, luego *mayo, junio y demás*. Un momento... ¿y el resto de marzo y todo abril? ¡No tenía programado casi nada! Sí, así como lo lees: casi nada. Y digo «casi» porque sí tenía un par de conferencias en Guatemala, pero eso era todo. Y esto lo notamos a mediados de enero.

Carlos y yo estábamos intrigados. «¿No te parece raro que comenzamos el año con muchísimas actividades, luego en marzo y abril se vacía la agenda, y al llegar mayo y junio vamos de nuevo con mil cosas?» comentábamos. Era muy evidente y hasta sospechoso ver esos dos meses casi sin compromisos de conferencias o viajes; no puedo negar que, por un instante, sentí un hoyo en el estómago, esa sensación de salto al vacío, de incertidumbre mezclada con miedo, esa sensación con la que, generalmente, nos ponemos a inventar todas las historias catastróficas que podrían venir si «eso» no se compone o da un giro diferente a lo que estás viendo, ¿la has sentido? Afortunadamente, he aprendido a fluir con la vida de tal forma que, a pesar de que aún me saltan esas alertas internas, confío en que eso que está pasando es lo mejor que puede pasar, aunque mi cerebro o mis planes digan que «no conviene» que sea así, aunque parezca que es una desventaja, aunque se me haga un hoyo en el estómago. Así que, en lugar de ponerme a inventar mil historias catastróficas, noté que mi escritora interna de tragedias ya estaba sacando su pluma —oh, sí... la «Tuti de los dramas» y las tragedias escribe con pluma, ja ja ja... ¡y de cisne!—, sonreí y le dije a Carlos: «Por algo nos están dejando ese tiempo libre, cuando lleguemos a ese momento lo entenderemos. De entradita, puedo decirte que a mí me cae de perlas no viajar ni tener conferencias un par de meses para poder estar en casa con las chicas, enfocarme en terminar el audiolibro de *Vivir a colores*, desarrollar los programas que tenemos en mente y terminar de escribir el segundo libro.» —¡Sí, este!— Y Carlos estuvo de acuerdo conmigo.

Soltamos y agradecimos que tendríamos un par de meses para estar más tranquilos y decidimos fluir con lo que la vida nos estaba dando en ese momento, tanto como con lo que nos tenía preparado para marzo y abril.

Llegó el momento de hacer el viaje final de esa primera etapa de viajes. El jueves 5 de marzo aterricé en Tegucigalpa, Honduras, para participar en un evento muy lindo por el Día internacional de la mujer. El evento fue el viernes en la mañana y en la noche regresé a Guatemala. El sábado siguiente, el presidente del país anunció en cadena nacional que todos debíamos permanecer en casa a partir del lunes, que se suspendían clases para los chicos por un mes y que los guatemaltecos que estuvieran fuera del país tenían dos días más para volver antes de cerrar fronteras. Las medidas de prevención por la pandemia del COVID-19 habían llegado a mi país. ¡Y llegaron apenas una semana después de que yo regresara del viaje que marcaba el inicio de ese período tan extraño de poca actividad en mi agenda!

Lo entendí a la perfección. La vida me había dejado la agenda libre no para dejarme en la bancarrota o desestabilizarme, lo había hecho perfectamente para que estuviera en casa cuando lo necesitara mi familia, para que cuidara mi salud, para que tuviera el tiempo suficiente para enfocarme en proyectos a los que no había podido dedicar el tiempo que merecían, para bajarle el ritmo a esa carrera en la que venía mi año y parecía que continuaría también. Mi vida me ofrecía una pausa para replantearme muchas cosas en mi día a día, en mi distribución de tiempo, en mi trabajo, en la manera de llegar a las personas, en la reorganización de las tareas de la casa y mil cosas más. Al momento de escribir este capítulo, llevo casi mes y medio de estar en casa y he aprendido mucho sobre productividad y cambios. Sí, también se cancelaron las conferencias presenciales, los viajes y demás, pero sigo con la certeza de que todo juega a mi favor, aunque mi ego opine lo contrario y disfrute lanzar ideas dramáticas de vez en cuando.

Esta época de aislamiento que hemos tenido en todo el mundo nos ha dejado grandísimas lecciones de humildad, de reordenar prioridades, de valorar lo que tenemos, de cuestionar viejos estereotipos, creencias y funcionamientos, de reinventarnos en muchos aspectos, de colaborar, de tener una consciencia diferente de lo que somos en el mundo y cómo funcionamos mejor desde la unidad y la búsqueda del bien común. Sin embargo, una de las primeras y más grandes lecciones que este bichito vino a reforzar en mi vida y que quiero compartir contigo es esta: *todo lo que sucede tiene un lado que juega a mi favor*; a veces es justo lo que espero y deseo, y a veces es todo lo contrario. Si la vida me está cambiando radicalmente el escenario que yo esperaba, confío en lo más profundo de mi corazón que se está gestando algo que en ese momento no entiendo pero que es de beneficio para mí y para otros. ¡Ojo! Es importante entender que «beneficio» no significa que siempre será placentero y fácil según los parámetros de lo que yo creo conveniente o de lo que mi ego considera conveniente; me refiero a un beneficio más profundo y trascendental... algo que con el tiempo se da a conocer porque es un proceso transformador en el que es importante participar sin resistencia para poder dejar que la sabiduría infinita de Dios, de la vida misma o de nuestra consciencia pueda fluir de la mejor forma en nuestro beneficio, nuestro real beneficio.

¿No caminaríamos con el corazón abierto, expectantes e ilusionados si ya tuviéramos la certeza de que todo lo que nos sucederá será para beneficio nuestro, aunque no nos imaginemos qué es, aunque no podamos verlo en ese instante, aunque esté disfrazado de obstáculo o pérdida, o incluso que venga acompañado de dolor? ¿Acaso no encararíamos de manera diferente esos «contratiempos» de la vida?

Es como cuando vemos una serie o una película y empezamos a

ponernos nerviosos porque el protagonista está en grave peligro y recordamos, en medio de la emoción, que es el protagonista y, por lo tanto, nada le puede pasar y que pronto algo sucederá que lo dejará a salvo, y nuestro nudo en el estómago puede descansar. ¿Has tenido esa experiencia de tranquilizarte a ti mismo en la parte más emocionante de la película, recordándote que «es el/la protagonista y todo estará bien»? Pues esa misma certeza deberíamos tener en nosotros y en nuestra vida: todo lo que pasa, aunque no lo entendamos y aunque desbarate nuestros planes, tiene un propósito de mayor beneficio para nuestro espíritu.

Escuché una grabación de un colombiano llamado Gerardo Schmedling, un personaje que descubrí hace poco y que habla de algo llamado «aceptología», la ciencia de la aceptación. En esta grabación él compartía una idea que me impresionó y, a la vez, me encantó. Él hablaba sobre la aceptación de las «pérdidas» que tenemos en la vida y lo hacía a través de algunas ideas que sostenían que, si la vida nos está «quitando» algo es porque ya no lo necesitamos; sí, aunque una parte de nosotros crea que es indispensable, aunque hayamos estado acostumbrados a tenerlo y aunque creamos que nos pertenece, si algo o alguien ya no está con nosotros es porque ahora nos toca seguir esta nueva parte del camino sin ese algo o alguien; y eso aplica a personas, cosas, trabajos, facultades y todo lo que se nos ocurra. Si aceptamos esto será mucho más fácil enfocarnos en lo que viene ahora que quedarnos haciendo fuerzas y berrinches para no soltar eso que ya se está despidiendo de nosotros o que ya no está.

De alguna forma, esta experiencia del aislamiento en casa por la pandemia del coronavirus nos ha demostrado a muchos que podemos seguir funcionando aún sin un montón de cosas que creíamos indispensables antes de esto. Si ahora no podemos viajar o salir de paseo y estábamos acostumbrados a hacerlo, ahora nos damos cuenta de que podemos sobrevivir, que no lo necesitamos, que estamos encontrando alternativas para conseguir lo que queremos, para comunicarnos con quienes amamos, para trabajar sin movernos de casa. Si recibiéramos con apertura cada suceso que se presenta a nuestra vida como un cambio, como un reto o como una alteración de eso a lo que estábamos acostumbrados o habíamos planificado, ¡qué diferente sería todo! ¡Qué diferente darle la bienvenida a lo que sea que pase con la certeza de que todo estará bien, de que aún pasando por posibles momentos incómodos, hay mejores planes para nosotros!

Hace un par de semanas Belén me compartió una historia que me fascinó y se las dejo por aquí para que la conozcan también. Se llama *Una mujercita con suerte* y, aunque no logré encontrar quién es el autor, me pareció muy valioso su aporte.

Una mujer pobre tenía la costumbre de ir todas las mañanas a un bosque cercano a su casa para recoger leña, que luego vendía a sus vecinos. Cierto día, encontró bajo un roble un caldero viejo de latón, ya muy oxidado por la intemperie. «¡Vaya, qué suerte! —exclamó—. Tiene un agujero y no me servirá para llevar agua, pero podré utilizarlo para plantar flores.»

Tapó el caldero con su mantón y, cargándoselo al hombro, emprendió el camino hacia su humilde choza. Poco a poco empezó a notar que el caldero iba pesando más y más, así que se sentó a descansar. Cuando puso el caldero en el suelo, vio con asombro que estaba lleno de monedas de oro. «¡Qué suerte tengo! —volvió a exclamar, llena de alegría—. Todas estas monedas para una pobre mujer como yo...» Y, volviéndolo a tapar, siguió su camino cargándolo.

Mas pronto tuvo que volver a pararse. Desató el mantón para ver su tesoro y, entonces, se llevó otra sorpresa: el caldero lleno de oro se había convertido en un trozo de hierro. «¡Qué suerte tan maravillosa! —dijo—. ¿Qué iba a hacer una mujercita como yo con todas esas monedas de oro? Seguro que los ladrones me robarían todo. Por este trozo de hierro me ganaré unas cuantas monedas normales, que es todo lo que necesito para vivir.» Envolvió el trozo de hierro, y prosiguió su camino.

Cuando salió del bosque, volvió a sentarse, y decidió mirar otra vez en su mantón, por si el destino le había dado otra sorpresa. Y, en efecto, así era: el trozo de hierro se había convertido en una gran piedra. «¡Vaya suerte que tengo hoy! —dijo—. Esta piedra es lo que necesito para sujetar la puerta del jardín, que siempre golpea cuando hace viento.»

En cuanto llegó a su casa, fue hacia la puerta del jardín y abrió el mantón para sacar la piedra. Mas, nada más desatar los nudos, una extraña criatura saltó fuera. Tenía una enorme cola con pelos de varios colores, unas orejas puntiagudas y unas patas largas y delgadísimas. La mujercita quedó maravillada al ver que la aparición daba tres vueltas alrededor y luego se alejaba bailando por el valle. «¡Qué suerte tengo! —exclamó—. Pensar que yo, una pobre mujercita, ha podido contemplar este maravilloso espectáculo... Estoy segura de que soy la pobre mujercita solitaria con más suerte del mundo entero.» Y se fue a la cama tan alegre como siempre.

Y, según se cuenta, lo más curioso es que, desde aquel día, la suerte de esta pobre mujer cambió, y ya nunca más volvió a ser pobre ni solitaria.

Hermoso cuento, ¿verdad? Ir sorprendiéndonos con lo que la vida nos tiene preparado, aprender a sentirnos con «suerte» y ser capaces de aceptar que es genial que eso —que a veces parece no tener sentido— esté sucediendo en nuestra vida, aceptar que aún en eso que no esperábamos o no habíamos planificado hay bendiciones para nosotros. Sí, aunque aún no las veamos en ese instante, ¡tengamos esa certeza!

Insisto, esta temporada nos está poniendo de cabeza en muchas formas de funcionar, muchas creencias y muchas relaciones. Nos está haciendo despedirnos de personas, de trabajos, de dinero y de sistemas enteros. Nos está llevando a redefinir conceptos como la muerte, la colaboración, la paz, la conexión interpersonal, los logros, el valor intrínseco del ser y la FELICIDAD —sí, con mayúsculas—. Si somos capaces, como la pobre mujercita con suerte, de estar abiertos a las sorpresas que vendrán detrás de estos cambios, de estar dispuestos a soltar lo que nos toque soltar tanto a nivel material como a nivel mental, nos sintonizaremos mucho más rápido con eso maravilloso que aguarda detrás de la esquina, eso que ya está tocando la puerta de nuestras vidas y que depende de nosotros salir a su encuentro y recibirlo.

Porque pasa algo más. Todo eso que llamamos «reveses», «problemas» u «obstáculos» son justamente todos los aprendizajes que nuestra consciencia ha diseñado para nosotros, especialmente para nosotros, amorosamente para nosotros, para que evolucionemos y descubramos la mejor manera de vivir la vida —con todo lo que trae— estando en paz y siendo FELICES.

El asunto es... ¿cuántas veces nos tendrá que repetir la lección nuestra maestra, la vida?

16

Quiero que mis hijas se peleen

Ahora sí, ¡la Tuti se volvió loca!

Permíteme que te explique el título de este capítulo. ¿Recuerdas que en el capítulo 8 comentaba cómo es importante entender que en la vida suceden cosas y hay personajes peculiares *para* nosotros?

Mis hijas pelean, como muchos otros niños y niñas —y, ahora que lo pienso bien— muchos adultos también, y ahora estoy entendiendo que esta experiencia es *para* mí... No me malinterpretes, no quiero decir que ellas no tengan nada que ver en el asunto ni deban aprender algo sobre las relaciones, el respeto o las negociaciones, no. Me refiero a que si solo me quedo con esa versión de «ellas deberían aprender a llevarse bien», me perdería la parte que esta experiencia tiene también para mí.

Como te conté desde un principio, en mi familia de origen somos cuatro hermanas. Si contamos a mi mamá, en total somos cinco mujeres más mi papá, y sé que cada uno ha aprendido a funcionar a su manera, a resolver a su manera y a salir de sus propios conflictos a su manera.

Sin embargo, como en toda familia, también hay experiencias donde somos *nosotros* los protagonistas del conflicto de alguien más. Que si mi mamá dijo algo pero mi hermana mayor no sabe, que si mi hermana mediana hizo algo pero no quiere que le digamos a mi papá, que si a mí se me olvidó decirle algo a mi hermana pequeña y se sintió mal y le dijo a mi mamá que me dijera pero que no le mencionara nada a mi otra hermana, pero mi papá se enteró y me dijo lo que pensaba mi hermana mayor y... bueno, ya sabes cómo va la cosa, es el cuento de nunca acabar, ¿verdad? Pues sí, en mi familia de origen también hay esos roces, esos desacuerdos, esos puntos de vista diferentes que nos hacen molestarnos o no comprendernos entre nosotros y que han derivado, en algunos casos, en peleas y distanciamientos. Después de uno de estos episodios, hace ya unos cuantos años, me di cuenta y acepté que no podía hacer absolutamente nada por cambiar a ninguno de mi familia. ¡Ya sé que suena absurdo lo que estoy escribiendo! ¿La Tuti no sabía que no podía cambiar a nadie? ¡Pero si lo repite casi a diario en sus redes sociales!

Pues sí... pero esa lección llegó a mí gracias a que me frustré y me peleé muchísimas veces por querer que los otros cambiaran. Tal vez en ese momento ya había dado pasos en este tema con algunas personas y amigos; pero no, no lo había visto con mi familia más cercana, hasta hace unos años. Lo que pasa es que, bajo el pretexto del amor y el hecho de yo ser la psicóloga de la familia, me creí el cuento de que «yo sí sabía cómo deberían ser mis hermanas y mis papás para que todos estuviéramos en paz». A mi parecer, la mayor debería ser menos esto y más aquello, mi mamá debería opinar menos de esto y más de lo otro, la mediana debería involucrarse más en esto y menos en eso, mi papá debería poner un alto a esto y no a lo otro, y la pequeña debería hacer más esto y menos aquello.

Si yo sí sabía... ¿por qué no me hacían caso? ¿Por qué no eran capaces de ver lo que yo veía? ¿Qué tanto les costaba aceptar que yo tenía razón y que cada uno podía poner más de su parte para reconocer sus errores y trabajarlos pensando en nuestra paz familiar? ¿Has pensado algo similar acerca de tu familia? Estoy segura de que muchos se identificarán conmigo en esta.

Así que, después de uno de estos episodios donde todos estaban equivocados menos yo —qué soberbia podemos llegar a tener a veces, ¿verdad?— y mientras caminaba en este mundo del autodescubrimiento y del viaje interior llegó mi momento y vi, por fin, a esa «Tuti intransigente», sabelotodo, llena de juicios, que se creía superior a los demás y que pretendía ser la poseedora de la verdad de cada uno de los integrantes de su familia ¡¿Qué tal?! De verdad, ahora me río mientras escribo esto recordando lo absurdo de mis pleitos mentales tratando de entender por qué los demás no podían aceptar que se equivocaban... ¡No había visto mi «pequeñísima» gran equivocación: no puedo cambiar a nadie porque, primero, no me corresponde ni tengo ese poder y, segundo, porque la que tenía que cambiar la forma de verlos a ellos era yo!

Así que me dispuse a trabajar en ello. Cada vez que salía un comentario, cada vez que veía una actitud, cada vez que me compartían alguna decisión u opinión, intentaba no juzgar. Intentaba recordarme que yo no tenía *su* verdad; yo solo tenía la mía. Y si pretendía entender la verdad de mi mamá, de mi papá o de alguna de mis hermanas, me tocaba escuchar y tratar de entender esa verdad que *ellos* vivían y tenían y que trasladaban con sus acciones, sus comentarios, sus decisiones y hasta sus conflictos —sí, aunque no me parecieran los más acertados, aunque no compartiera su punto, aunque estuviera en desacuerdo—. Si yo quería abrirme a verlos diferente y a dejar de juzgarlos desde mis zapatos, tenía que empezar por descalzarme y comenzar a andar en los suyos. Y, ¿quieres que te diga qué tan fácil fue? ¡No lo fue! Por el contrario, ¡¡fue dificilísimo!! Pero, una vez comencé a caminar ese sendero de aceptar humildemente que yo solo tengo *mi* verdad y no *la* verdad, de entender que cada uno tiene esa partecita de verdad que corresponde a su experiencia —que es solo de cada uno— y con ella cada quien hace y resuelve lo mejor que puede —sí, aunque se aleje de lo que yo creo que yo haría en su lugar—, comencé a pelear menos y a dejar de desear que fueran diferentes.

¿Quiere decir que debemos eliminar esos pensamientos que tenemos a la hora de juzgar a otros? Te sorprenderá la respuesta, pero yo diría que no. ¿Por qué? Porque no se trata de eliminarlos, sino de observarlos y reconocer cuánto sufres tú al tenerlos. A mí me funciona, en cuanto noto que en mi mente surge un «mi hermana debería hacerlo diferente» o «mi mamá no debería preocuparse así» o «no debió reaccionar así mi papá» o lo que sea, respirar profundo y decirme: «Tuti, cada uno lo está haciendo lo mejor que puede.» Yo no sé si esa es la acción correcta para *su* mayor beneficio en el camino de *su* vida. Yo no soy experta en sus vidas ni sé, con completa y absoluta certeza, cuál es el verdadero camino que los llevará a *su* felicidad. Y, cuando me permito reconocer cuál es mi equivocación frente a lo que creo que es un error del otro, ese pensamiento de juicio contra alguna de estas personas que amo con todo mi corazón empieza a dejarme, como si se eliminara a sí mismo, como si el poder de decidir cuándo debe irse no lo tuviera yo, sino que, cuando yo me enfoco en verme a mí y no al otro, ese pensamiento sobre el otro se fuera solito. ¿No es hermoso?

¿Y qué tiene que ver esto con que la Tuti quiere que sus hijas se peleen? Allá voy, paciencia...

Te decía que ese proceso para dejar de creer que yo sabía más que mi familia sobre sus vidas y que, por lo tanto —como yo creía tener *la* verdad— era mi obligación hacérselos ver y hacerlos entrar en razón y cambiarlos, fue eso: un proceso. No fue de la noche a la mañana y no todas las veces lo hice bien ni fue fácil.

Recuerdo una vez que hablé con una de mis hermanas por teléfono y pude verdaderamente escucharla... sin querer cambiar su punto de vista por el mío, sin querer imponer mi verdad, sin querer siquiera que ella cambiara la forma en que estaba viendo una situación cualquiera. ¡Pude escucharla! Colgué y emocionada por mi logro corrí a contarle a Carlos: «¡Amor, no me enganché! Logré realmente escucharla, recordé que ella tenía su verdad y desde allí actuaba y era lo mejor que podía y sabía hacer en ese momento. Decidí confiar en que sus decisiones eran las mejores para su propio camino —aunque yo no las entendiera o compartiera— y me sentí en paz. ¡La solté! No quise que fuera o pensara como yo, quise auténticamente estar en sus zapatos y amarla, escucharla y comprenderla así como es ella.»

Estaba realmente orgullosa de mí misma. Esa noche, me llamó alguien más de la familia y entre la conversación surgió el tema que había comentado con mi hermana horas antes, así que esta persona también me dio su punto de vista al respecto y yo —que seguía con mi medalla de «buena estudiante» colgada al cuello— compartí un pensamiento elevado que iba algo así: «Sí, pero desde su punto de vista es diferente y cada uno tiene su propia verdad»; con lo que mi interlocutor no estuvo muy de acuerdo. Nos enredamos en una discusión al respecto: él trataba de explicar su punto de vista y yo trataba de explicarle que no debería de tener un punto de vista al respecto porque cada uno tiene el suyo. Finalicé la conversación un poco molesta y allí me di cuenta de todo. ¡Aaaah! Tuve otra oportunidad para demostrar que había aprendido la lección de no querer imponer mi verdad al otro y, en cambio, comprenderlo desde su propia verdad… y no la supe detectar. La vida es una gran maestra y pasa «pruebas sorpresa» con preguntas escondidas para ver si realmente aprendiste.

Me reí. ¡Yo que creía que ya me había «iluminado» porque había manejado bien una conversación con mi hermana y fallé cuando me pasaron la prueba sorpresa! En ese momento, mientras me reía, comenzó a despertar en mí una gran inquietud juguetona. La sentía como cosquillas en el corazón, una emoción especial como cuando era más pequeña y sabía que se aproximaba un evento importante y ya quería que llegara, una ilusión muy peculiar que me hizo pensar jubilosa: «¡Ya entendí, ya entendí! Esto fue una prueba. ¡Dame otra oportunidad, pásame otra prueba, te prometo que ahora sí lo haré mejor, anda! Que ahora me llame mi mamá o mi papá o mis tres hermanas una tras otra…

¡Dale, una prueba más... ahora sí lo lograré!»

¡Estaba emocionada por pasar otra prueba! ¡Quería estar en una discusión otra vez! Qué loco, ¿no? ¡Me emocionaba pensar que, a la siguiente vez, quizás podría hacerlo mejor!

Y claro que después de que se me viniera esa ocurrencia a la cabeza —o tal vez surgió más en el corazón— supe con certeza que la vida me seguiría enviando pruebas. Como dije, ella es una gran maestra y quiere que aprendamos bien la lección. Es tan buena y paciente que está dispuesta a repetirla tantas veces como sea necesario hasta que, no solo tengamos el conocimiento, sino que también sepamos aplicarlo.

Y por eso —finalmente llego a este punto— desde hace un tiempo para acá, ¡quiero que mis hijas se peleen! Las últimas veces que lo han hecho he aprendido un poco más de mí, he aprendido a ver en quién me convierto, cómo hago suposiciones, cómo a veces tomo partido, cómo pretendo que ellas resuelvan como lo haría yo, cómo me causa conflicto a mí estar frente a dos personas que amo y que están en desacuerdo, cómo me cuesta no involucrarme —¡aunque no lo crean!—, cómo mi reserva de paciencia parece evaporarse de un momento a otro, en fin. Me emociona saber que el próximo pleito de mis hijas podré hacerlo un poco mejor, podré aceptarlas mejor, podré respetar sus puntos de vista y sus habilidades —no las que yo quisiera que tuvieran, sino las que realmente tienen ahora— para solucionar o no sus conflictos.

¿Y sabes qué es lo más extraordinario? Que, a partir del momento en que decidí tomar la vida y sus enseñanzas de esta forma, cada vez me aparecen menos «pruebas sorpresa» —sí, todavía hay, por si te lo preguntabas— y en esos momentos en que presencio un desacuerdo familiar o un pleito de mis hijas, ya sé que a mí también se me está poniendo a prueba... ¡Pero ya sé qué hacer... y cada vez me va mejor!

Me emociona saber que cada uno de estos ejercicios que me pone la gran maestra de la vida está diseñado para llevarme —si logro pasar la prueba— a experimentar cada vez más paz y felicidad, la verdadera

PAZ y FELICIDAD —sí, con mayúsculas—: la que suelta y la que, aún en medio de un pleito de esas dos personitas que son las que más amo en este mundo, puede manifestarse y sentirse... Porque esa paz y esa felicidad van mucho más allá de las circunstancias y no tienen que ver con lo que pasa afuera, sino con lo que pasa adentro mientras ocurre lo de afuera.

Y este enfoque ha cambiado por completo muchísimas cosas en mi vida. No es que ya pueda manejar y resolver perfectamente cualquier situación incómoda, cualquier reto o dificultad que se me presenta, no. De hecho, aún me sigo enganchando muchas veces en los pleitos de mis chicas, entre otras cosas. Pero, entender así la vida y lo que me ofrece a cada paso del camino, me permite procurar observar la situación no con ojos de molestia y rechazo, sino de apertura hacia lo que necesito aprender de mí misma, de mis reacciones, de mis pensamientos y de mis emociones para transitar ese episodio de mejor manera y avanzar un poquito en mi lección del momento.

En su cuenta de Twitter, el Dalai Lama escribió: «Ni nuestros amigos, ni siquiera el Buda, nos dan la oportunidad para practicar la paciencia en la manera en que una persona hostil lo hace. Y, haciéndolo así, un enemigo puede convertirse en nuestro maestro.»

17

La bicicleta inestable

¿En qué momento aprendemos realmente a andar en bicicleta? Apenas recuerdo el día en que yo logré pedalear esa pequeña bicicleta verde menta con llantitas de apoyo, una pequeña parrillita trasera, flecos blancos y rojos colgando a los costados del timón y un timbre redondito y sonoro enganchado a su lado derecho. De hecho, ahora que busco en mis recuerdos, ¡no me acuerdo de mí misma subida en la bicicleta! Más bien tengo en mente una foto donde aparezco junto a ella, creo que esa foto es del día en que la recibí. Porque, si me concentro en recordar a la Tuti pedaleando frente a su casa de infancia, mi mente salta a la que fue mi siguiente bicicleta, una morada que Gaby, mi hermana mayor, me heredó. Y allí sí logro ver el recuerdo de estar pedaleando por mí misma sin ayuda ni de las llantitas, ni de mi papá correteando detrás de mí sosteniendo el sillón para mantener mi equilibrio. Creo que en esta bici comenzó mi colección de raspones en las rodillas también.

Así que, como no puedo decir que recuerdo con claridad esa etapa en que aprendí a andar en bici de verdad, utilizaré el recuerdo que tengo más claro en el mismo tema: cuando Fer y Belén lo hicieron, mi espalda y la de Carlos están de testigos, ja ja ja...

Sé que ahora hay otras técnicas para aprender a manejar bicicleta, pero nosotros utilizamos el mismo método que utilizaron con nosotros: primero una bici con dos rueditas de apoyo, una a cada lado de la llanta trasera para reforzar un poco el balance, mientras la niña aprende el complicado arte de mover los pies en círculos uno frente a otro y en posiciones complementarias: mientras un pie va arriba, otro va abajo y mientras una pierna se estira, la otra se contrae... ¡todo un ejercicio de psicomotricidad gruesa! Y a eso sumémosle que hay que hacer que la niña deje de ver sus pies y vea al frente mientras sujeta el timón y trata de coordinarlo todo junto: vista al frente, movimiento de los pies y dirección correcta del timón; el asunto del freno ya es casi un curso aparte. El asunto es que, cuando está dominado este complejo grupo de movimientos y coordinaciones, viene la verdadera prueba de oro: dominar el equilibrio en la bicicleta haciendo todos estos movimientos pero sin las maravillosas y tan útiles llantitas de apoyo. Para esto, Carlos y yo nos turnábamos en corretear fuera de casa a la ciclista de turno, para sostenerle la parte trasera del asiento, hacer un poco de fuerza para mantener el equilibrio que por sí misma aún no lograba y, muy poquito a poco, ir soltando ese control que de alguna forma teníamos a través del sillón hasta que sintiéramos que ya estaban listas. Y, si mal no recuerdo, después de unos dos o tres días de hacer este ejercicio ambas «se soltaron».

Como pregunté anteriormente, ¿en qué momento aprendemos realmente a andar en bicicleta? Y no me refiero a edades, sino al momento en que alguien puede decir: «yo ya sé andar solo en bicicleta». La respuesta sería: cuando aplicas todas esas técnicas aprendidas, pero sobre una bicicleta sin llantitas, una bicicleta inestable. De alguna manera, podríamos decir que la inestabilidad de la bicicleta es necesaria para que aprendamos realmente a montarla, ¿cierto?

Es como preguntarle a un equilibrista de circo o un deportista de *slackline*[1] en qué momento se considera que logra su equilibrio, si en tierra firme o sobre la cuerda. Estarás de acuerdo conmigo que es bastante fácil para muchas personas encontrar equilibrio sobre el suelo, ¿verdad? Si levantas un pie, podrás darte cuenta de que tal vez pierdes un poco tu equilibrio y no pasa nada. Pero, si te subes a una de estas cuerdas, necesitarás aprender y ensayar muchas veces —sí, incluso a caerte— o no lograrás ese maravilloso equilibrio que estos profesionales logran. Para saber si tienes buen equilibrio físico, es necesario ponerlo a prueba a través de escenarios que no precisamente favorezcan el equilibrio. ¡Lo mismo con las bicicletas!

¿Y eso qué tiene que ver con la felicidad? ¡Amo que preguntes esas cosas! Por eso me gusta platicar contigo.

Digamos, imaginemos, juguemos a pensar que una de las razones por las que estamos experimentando esta vida así como lo hacemos —con tantas complicaciones— es precisamente para aprender a encontrar nuestra verdadera Felicidad. Mirémoslo desde esta perspectiva: venimos a esta experiencia como seres humanos que ocupan un minúsculo espacio en la Tierra junto a tantos otros seres que habitan otros cuerpos y formas, otras mentes separadas de la mía, otras voluntades, otras historias, otros intereses, otros caminos independientes del mío; venimos como seres que se desenvuelven en un mundo de contrastes y en donde casi no controlan nada de lo que los rodea, lo que hace que el camino sea más complejo. Juguemos a que este diseño tan aparentemente disparejo y desigual en esencia no lo es y que una de las razones por las que estamos experimentando esta vida así con tanta complicación e inestabilidad es para demostrarnos a nosotros mismos que podemos encontrar esa Felicidad —con F mayúscula— a pesar de todo e, incluso, *gracias* a todo eso.

¿Cómo así que *gracias* a todo eso contrastante y complicado de la vida es que podríamos encontrar esa Felicidad, si son justamente los

1 *Deporte de equilibrio sobre una cuerda, generalmente elástica, en que se hace saltos y movimientos dinámicos.*

contrastes y las complicaciones que atravesamos las que nos privan de la posibilidad de sentirla, de vivirla y de fundirnos en ella?

Sí, eso es lo que hemos creído siempre: que *no* podemos ser Felices mientras ________ —y aquí rellena tú los espacios en blanco, sé que nos enseñaron a ponerle mil excusas—. Yo voy a compartir contigo algunas de las que yo aprendí y creí por mucho tiempo:

No puedo ser FELIZ mientras: la gente fallezca, esté enferma, alguien no me quiera, no tenga suficiente dinero, alguien me lleve la contraria, otros sean infelices, haya problemas, la vida no sea lo que yo quiero, atraviese un cambio, no sea aceptada por alguien, no tenga una determinada apariencia, no reciba reconocimiento de alguien... y al menos unas mil más.

Hemos creído que la Felicidad se puede experimentar, si y solo si, estamos libres de esas experiencias. Pero, ojo, que no son los sucesos externos los que nos impiden sentir Felicidad. No. No es la muerte de alguien, por ejemplo, lo que nos hace temerle y rechazar ese momento en nosotros y en los otros. Primero, la muerte de alguien —o, como aprendí a llamarle en India— cuando alguien «deja el cuerpo» es un suceso natural, tan natural como la vida misma, es parte de este ciclo de la vida, ¿verdad? Y, segundo, son los significados que le hemos dado, los sentimientos que hemos asociado a ella y la carga que le hemos puesto encima lo que nos hace conectar con emociones como el dolor, la tristeza, la soledad y demás... ¡y eso es lo que nos hace rechazarla y temerle! No el hecho de que el cuerpo de alguien deje de funcionar, sino todo el significado y emociones que se asocian al respecto y que nosotros no hemos sabido manejar.

Recuerdo que a una señora mayor que vivía cerca de la casa donde crecí cuando era pequeña, sus hijos y nietos no querían decirle que su hermano había fallecido porque no querían preocuparla y que, de la tristeza, ella sufriera algún accidente cerebrovascular, así que por meses le mantuvieron el secreto. ¿Saben qué le pasó a ella durante todo este tiempo que no supo lo de su hermano? ¡Absolutamente nada! La muerte de su hermano no le provocó nada. Quiero decir, él falleció y, como ella no se enteró, no le pasó nada mientras ella no tuvo que enfrentarse a las emociones y sentimientos que destapan todos los significados asociados a la muerte de alguien cuando somos conscientes de la muerte de ese alguien. No es el hecho externo, no es el suceso en sí mismo lo que creemos que nos «impide» u «obstaculiza» ser Felices. Es la manera en que lo transitamos, diciéndonos lo que nos decimos, pensando lo que pensamos y dándole el significado que le damos. ¿Por qué la muerte de personajes tan polémicos como Adolfo Hitler podría causar celebración? ¿Por qué la muerte de alguien que ha pasado por una larga enfermedad y mucho dolor podría causar alivio en sus seres cercanos? ¿Por qué la muerte violenta de un ser querido podría causar resentimiento? ¿Por qué la muerte de un pequeño podría causar mucha resistencia y dolor? Una vez más: los acontecimientos de la vida no son lo que nos limitan la Felicidad. Tal vez ellos solo son esa cuerda floja, la bicicleta inestable en la que nosotros debemos encontrar el verdadero equilibrio. Tal vez son solo distintos escenarios que la vida nos pone para aprender a encontrarla más allá de las circunstancias, más cerquita de nosotros o, mejor aún, *en* nosotros.

Hace un tiempo me llegó un video de dos niñas que «conversaban telepáticamente» y representaban dos espíritus que podían comunicarse más allá de las formas humanas. Y una le decía a la otra algo así como: «¿De verdad estuviste en la Tierra? Dicen que es muy difícil la experiencia allí y que estás muy limitado.» La otra respondía telepáticamente con algo como: «Sí, no es sencillo porque en el momento en que entras a esos cuerpos pequeñitos y con tantas limitaciones se te olvida la grandeza que eres. Pero... ¿no te parece un diseño perfecto? Limitarte a ti mismo a ese extremo, atravesar momentos que no controlas, creer en la muerte como un final, exponerte a una experiencia de caos, confusión, dolor y carencias para, en medio de todo eso, recordar o redescubrir lo grande que eres y que tu verdadero ser está más allá de la materia?» Me encantó este ejercicio mental: pensar que esa parte que todos somos de grandeza, de paz y amor en esencia, de verdadera y profunda Felicidad... solo está buscando reencontrarse a sí misma más allá de las circunstancias.

Y aquí vuelvo a mi idea original. Digamos, imaginemos, juguemos a que nuestro espíritu sabio, nuestro verdadero ser —que es amor, paz y Felicidad con F mayúscula—, ese que no tiene límites y que está más allá de las experiencias humanas, entiende y sabe que somos capaces de recordar, en medio de tanta confusión, quiénes somos de verdad; digamos, imaginemos, juguemos a pensar que, por eso, eligió tener esta experiencia en un lugar tan aparentemente imperfecto, en un cuerpo aparentemente imperfecto que viene de padres aparentemente imperfectos y dentro de sociedades aparentemente imperfectas *para* vivir una vida aparentemente imperfecta... Como comentaban las niñas-espíritus en el video, ¿No es este un diseño perfecto? ¿Ser capaces de recordar nuestra propia esencia perfecta, como creación de lo Perfecto, en medio de tanta aparente imperfección? ¿No es acaso esta vida —nuestra bicicleta inestable— perfecta para encontrar nuestra verdadera estabilidad?

¿No sería diferente nuestra aproximación a cada suceso de la vida, principalmente a los que hemos llamado «complicados», «difíciles» o «dolorosos», si recordáramos que esa experiencia es la cuerda floja en la que encontraremos nuestro verdadero equilibrio? Es decir, imagina que ese reto que tenemos delante es un escenario más para que aprendamos a ser felices y a estar en paz, aunque las circunstancias parezcan no ser favorecedoras.

¿Qué mejor forma de encontrar nuestra verdadera Felicidad —esa con F mayúscula de la que tanto te he hablado— que dentro de nosotros mismos y en medio de cualquier circunstancia externa? ¿Qué mejor forma de comprender que esa «vida imperfecta» que hoy tenemos es ideal para que logremos reencontrarnos con nuestra grandeza, nuestra verdadera esencia, nuestro verdadero ser?

18
Borrón y cuenta nueva

¿Cómo tener una vida perfecta? Imagino que tendrían que dejar de existir muchas cosas, personas, experiencias y anécdotas en nuestra vida. Cada uno sabe, en su historia, qué cosas querría sacar de la ecuación, así como cuáles querría incluir en la misma, para entonces sí tener una vida perfecta.

Avancemos en esta idea. ¿Recuerdas que al inicio del libro te compartí un poco de «mi vida imperfecta»? Quiero hacer un ejercicio junto a ti. No lo había planeado hasta hoy, pero creo que podría ser muy valioso no solo para mí, sino para luego dejarte la espinita, para que te atrevas a hacerlo.

Hace un tiempo leí un ejercicio que me pareció fascinante y revelador. Mo Gawdat lo sugiere en su libro *El algoritmo de la felicidad* y es el siguiente:

Imagina que se ha desarrollado una nueva tecnología inteligente que te ayuda a borrar —literalmente borrar— algún evento que no te guste de tu vida. Esa tecnología tendría la capacidad de viajar en el tiempo y borrar ese acontecimiento. Al hacerlo, también borraría, por supuesto, toda interacción que haya sucedido durante esos minutos que duró la situación que quieres borrar. Además, por si fuera poco, esta tecnología inteligente rastrearía en el tiempo posterior al evento, hasta tus días, cualquier efecto que este evento hubiera causado junto a todas sus consecuencias. De igual manera, mientras esta tecnología fuera «borrando» algunos puntos de tu línea de tiempo, también te devolvería ese tiempo de otra forma; lo único es que no podría garantizarte que en ese tiempo que se te devuelve, te sucedan cosas mejores o que solo te hagan feliz.

¿Te apuntarías a borrar algún acontecimiento de tu vida? Recuerda que, al borrar algo por completo de tu historia, también borrarías cualquier conversación, acción o situación de ese momento, así como de momentos posteriores relacionados con ese suceso. Borrarías ese momento en que alguien a lo mejor te consoló mientras le compartías parte de tu historia, eliminarías algunas amistades e, incluso, algunas relaciones; ya no habrías ayudado a alguien a entender o atravesar un proceso similar y demás. Contémplalo. ¿Te apuntarías a borrar algún acontecimiento de tu vida y todo lo que se derivó de él?

Y, como me he propuesto hacer este ejercicio voluntariamente, aquí ante tus ojos, lo que haré será copiar y pegar algunos de los acontecimientos de «mi vida imperfecta» y, con borrador en mano, intentaré visualizar lo que ese acontecimiento trajo a mi vida para decidir si lo borraría o no. ¿Me acompañas? Confieso que estoy un poco nerviosa; pues, de verdad no había planeado incluir esto en el libro. Sin embargo, contándole a mi mamá un poquito de qué iba el libro y compartiéndole que estaba muy contenta porque ya sentía que iba a terminarlo, me vino la idea de cómo podría integrar mi propia historia a la idea central de este libro, que es «Cómo ser feliz y hacer las paces con mi vida imperfecta». ¡Y entonces lo entendí! Yo tenía que demostrar, a partir de *mi* historia «imperfecta», esta idea que he querido compartir contigo a lo largo del libro.

Así que, a continuación, a modo de títulos en negrita aparecerán ciertos acontecimientos que describí con mayor detenimiento en el capítulo «Mi vida imperfecta». Si quieres recordar los detalles, puedes volver a leerlo; pero lo que necesitamos para este ejercicio, está justo aquí.

«Nací y crecí mientras transcurrían los años más crudos del Conflicto Armado Interno de mi país, Guatemala.»

No quiero entrar a justificar, comparar o acusar a unos o a otros, tampoco quiero minimizar lo sucedido; no me corresponde ni es el ejercicio que estoy haciendo. El ejercicio es notar todo lo que no hubiera sucedido en *mi* vida si no hubiera nacido y crecido durante el Conflicto Armado, si pudiera «borrar» ese episodio de «mi vida imperfecta». Y lo que encuentro de primera mano es que, si yo no hubiera nacido durante ese conflicto, una de mis tías no habría decidido salir del país con toda su familia, por lo que habría seguido viviendo en esa casita que, cuando ella se fue, ocupamos nosotros; en ese entonces, mi papá, mi mamá, mi hermana mayor y yo vivíamos fuera de la capital. Y, entonces, no habría vivido toda mi vida donde viví, en esa casita donde crecí, con ese pequeño jardín rodeado de rosas y una parte adoquinada con hexágonos, los que tantas veces saltamos jugando al «avioncito» con mis hermanas y vecinos; no habría tenido a los amigos que tuve, con los que salía a jugar a la calle. ¡No habría conocido a mi primer novio, ni mi hermana a su actual esposo! No habría pertenecido a la parroquia a la que pertenecí ni habría aprendido a ayudar a la gente que vivía en los barrancos cercanos; mi mamá procuraba ayudar a todos los que pudiera y aprendí mucho de su generosidad. Es más, si mi tía no hubiera tenido que salir del país y nosotros no nos hubiéramos mudado a la capital, no sé si habría ido al colegio al que fui y, con eso, imagina de cuántas personas, relaciones, recuerdos, anécdotas, aprendizajes y tesoros que guardo en el corazón me estaría perdiendo. ¡Mi vida entera sería otra!

Si no hubiera nacido en pleno conflicto armado, tal vez no habría crecido con una polémica tan grande en mi país, con dos posturas tan distintas que, a la fecha, siguen siendo motivo de profundas discusiones. Pero esta polémica y esta división tan grandes me han invitado a conocer muchas historias de ambas partes del conflicto y también a sensibilizarme, historias que me han enseñado mucho sobre resiliencia, amor, dolor y, principalmente, sobre seres humanos que sufrieron las consecuencias que cualquier guerra trae, sin importar de qué lado estén. Tal vez si no hubiera nacido en medio de la guerra, no buscaría con tanto corazón promover la paz. —¡Guau! No había visto esto hasta ahora que lo escribo—.

Y estas son solo un par de ideas que surgen con hacer el ejercicio de «borrar» ese primer párrafo de mi «vida imperfecta». Y he decidido que no, ¡no lo borraría de mi vida!

«Crecí admirando a mi hermana mayor y sintiéndome un poco por debajo de ella en muchas cosas.»

¡Uy! Esta me estruja el corazón solo de leerla y pensar en que tengo un borrador en mi mano, porque ese sentimiento de inferioridad que sí tuve y que tuve que reconocer y trabajar en su momento, no habría existido si no hubiera tenido esa hermana extraordinaria que tuve —y sigo teniendo— y no puedo imaginar una vida sin Gaby: mi cómplice, mi amiga, mi compañera de juegos, de aventuras, de amores, de transiciones, de todos y cada uno de los pasos más importantes de mi vida. Lo mismo que no podría imaginar mi vida sin Andrea y sin Mercedes: cada una ha tenido capítulos dentro de «mi vida imperfecta» y estoy segura de que yo también he sido parte de capítulos en las suyas. Y, por mucho que en algunos de esos capítulos haya experimentado dolor, tristeza, enojo, frustración, vergüenza y demás, logro ver el regalo que traían, logro encontrar las risas que ahora trae el recuerdo, logro ver la unión que se generó entre nosotras y lo que se transformó en mí a partir de esas experiencias.

Si borrara ese episodio de la aparición de Andrea en mi vida, porque fue muy conflictivo para mí, porque me hizo sentir insegura, porque despertó unos celos de hermana terribles al punto de sacar a la luz a la «Tuti malvada» con ganas de hacerle la vida imposible a su inocente hermanita, ¡estaría borrando una parte enorme de mi corazón! Adoro a mi hermana Andrea y no solo yo me perdería de su existencia, sino que el mundo se estaría perdiendo de un extraordinario ser humano.

De igual forma, si borrara alguno de los episodios de «mi vida imperfecta» junto a Mercedes, simplemente no sería la Tuti que soy y no habría aprendido tanto de mí sin ella en mi historia; ella sigue siendo, a su modo, una gran maestra en mi vida.

Si borrara estos momentos, ¡me perdería de la relación que hoy tengo con cada una de ellas y del inmenso amor que les tengo! Estoy con lágrimas en los ojos mientras escribo esto. Las amo con todo mi corazón y quienes nos conocen saben lo cercanas que somos. Por supuesto que no borraría ningún episodio con ellas, ¡no las borraría de mi vida por nada del mundo!

«Entonces supe que a mi mamá le habían diagnosticado algo llamado Síndrome de Sjogren, una enfermedad autoinmune sin cura que atacaba sus articulaciones y sus glándulas de secreción, entre otras cosas.»

No, no fue agradable ver a mi mamá así. No fue agradable saber que casi no la cuenta. Sin embargo, contemplar borrar ese episodio de mi vida —aún sabiendo que podría ahorrarle dolores, miedos e incomodidades a ella y a todos nosotros, su familia— me hace pensar en que, primero, le quitaría la posibilidad a ella de encontrar su misión y pasión en la vida: ayudar a miles de personas a través de lo que ella encontró en su camino como alternativa de vida: la medicina complementaria; y, segundo, si solo me centro en lo que cambiaría de mi vida, observo principalmente, que mi mentalidad probablemente sería otra y mi capacidad para aceptar que existen cosas maravillosas fuera de mis verdades, mis creencias y mi mundo sería muy reducida. ¿Qué mejor evento para «abrir mi cabeza», que ver que mi mamá salvó su vida gracias a darse la oportunidad de conocer y probar otras cosas, de abrirse a la posibilidad de encontrar respuestas fuera de su zona cómoda, incluso mientras le llovían juicios y críticas? Así que, aunque para mí no fue una etapa cómoda —y lo pongo solo desde mi punto de vista, si me permites, porque entiendo que no puedo ni imaginar lo que ella atravesó— no la borraría. A la fecha, sigo recibiendo lecciones de esta etapa de mi vida. Me gusta pensar que mi mamá es un espíritu sabio y amoroso que decidió, como humana, atravesar una etapa tan dolorosa y difícil para «sanarnos» a todos, para «liberarnos» a todos, para ampliarnos la visión de la vida a todos, de alguna forma. Mi mamá abrió la puerta de la búsqueda personal, decidió salirse de ese lugar de convencionalismos, imposiciones y expectativas para buscar ser congruente con ella misma y, al atravesar esa puerta, la dejó abierta para que otros decidiéramos aventurarnos también. ¡Y vaya si ha sido una aventura! Mamita linda, aunque sé que no fue fácil para ti esta etapa, con gratitud inmensa te digo: ¡no borro esto de mi historia!

«Mis papás se divorciaron.»

¡Ay! Sé que este tema es también el tema de muchos de ustedes que me están leyendo. ¿Lo borraría? Trajo tantas confusiones, tantos enojos, tantos reclamos, tantos juicios y tanta separación, que es uno de esos episodios en que probablemente sí estemos tentados a sacar el borrador y eliminarlo con gusto, ¡borrarlo con tal fuerza que hasta se rompa la hoja! Pero ese no es el ejercicio que aquí estoy haciendo. Estoy viendo hacia atrás y logro ver dolor, decepción, mucho enojo, muchas ganas de castigarlos —a ellos, mis padres— por esos sentimientos que yo tenía al respecto de su decisión. Veo mi necesidad de pertenecer a uno o a otro «bando», a veces al de mi mamá y a veces al de mi papá, lo que implicaba pelearme, al menos internamente, a veces con mi mamá y a veces con mi papá. Sin embargo, ¡no lo borraría! Qué paradójico, ¿no? Independientemente de las razones que ellos tengan para «no borrarlo», lo primero que viene a mi mente es que yo no lo borraría porque fue lo que me permitió ver y conocer a los seres humanos detrás de esas figuras idealizadas de papá y mamá. Pude descubrir a mi papá desde mis propios ojos y no desde los ojos de mi mamá. Aprendí a ver a mi mamá más humana y vulnerable, y aprendí a construir una nueva relación mucho más honesta y amorosa con ambos. Los pude *re*conocer.

Este ha sido un camino largo para mí, no creas que fue de la noche a la mañana. Necesité mucho tiempo; pero, ahora que veo para atrás —con borrador en mano— lo observo, lo integro y lo agradezco. Este episodio tan largo de la separación y el divorcio de mis papás —y digo largo no porque se haya tardado mucho, sino porque para mí fue largo procesar, perdonar, amar, aceptar y soltar— me dio la luz para procurar escribir una historia diferente en mi propia relación de pareja, me ha permitido entender que la vida sigue y que a mí me toca construir la mía y no juzgar la de ellos, me empujó a buscar mi independencia a todo nivel y aprender a amar mi soledad. Recuerdo que en mi última relación de pareja anterior a la actual, esta persona me había ofrecido irme a vivir con él y, gracias al divorcio de mis papás, decidí no hacerlo porque quería primero vivir sola para que, si algún día nos separábamos, no me aferrara a la relación por miedo a la soledad y ya hubiera vivido la experiencia de hacerme cargo de mí misma con mis propias fuerzas y recursos, y tuviera la certeza de que yo *podía* estar sola. La relación terminó —después de muchos estiras y encojes— al poco tiempo de que comenzara a vivir en mi propio apartamento.

De algún modo, el divorcio de mis papás fue como si el nido se hubiera destruido y eso me obligaba a batir mis inexpertas alas y volar hasta donde yo quisiera... ¡y de tanto batirlas, mis alas resultaron fortalecidas! No me habría ido a vivir sola, no habría descubierto lo capaz que soy de sostenerme a todo nivel, no tendría hoy la relación maravillosa que tengo con Carlos, no estarían en mi vida estos personajes extraordinarios que son mis hijas, tal vez seguiría juzgando duramente a los divorciados y tal vez no habría podido conocer a mis papás por separado con todo lo maravilloso que son; porque, tal vez, estando juntos, renunciaban a una parte de ellos mismos que no conocí hasta que se separaron. Mi papá no habría liberado ese espíritu aventurero que siempre tuvo si hubiera seguido con mi mamá: aprendió a volar ultralivianos, aprendió a bucear y nos invitó a hacerlo con él, y con eso hicimos hermosos viajes junto ese papá aventurero y viajero que escuchábamos solo en sus historias de «cuando era joven» y que, tal vez por convertirse en «adulto responsable y padre de familia» decidió guardar y no dejar salir; o tal vez porque mi mamá era menos aventurera y más «precavida» y no lo habría secundado en alguna idea loca de estas. Paradójicamente, si mis papás hubieran seguido juntos, mi mamá tampoco hubiera conocido su propio espíritu viajero y aventurero —¡vaya si lo tenía por allí bien reprimido!— que la ha llevado a dar vueltas por el mundo en avión y, un poco más cerquita en moto: sí, mi mamá, que prácticamente nos heredó su miedo a las motocicletas, esa señora claustrofóbica y sumamente prudente y precavida, ahora anda por todo el país y países vecinos en moto, ¡con chaqueta de cuero y todo!

Así que, aunque hayan sido momentos incómodos para mí como hija, veo todos los regalos que ha traído y no solo para mí... Entonces, una vez más, ¡no lo borro!

«Así que, cuando finalizó esta relación, estaba convencida que quería estar sola, de que no quería comprometerme y mucho menos casarme con nadie.»

¿Borro la relación o borro solo ese final desgastante? De una u otra forma, una cosa trajo la otra. Digamos que esa relación no hubiera sido lo desgastante que fue, digamos que simplemente no funcionaba y ya. Jamás habría llegado al punto que describo anteriormente de *decidir* —porque ¡oh, sí! estaba decidida— no comprometerme ni casarme con nadie. No estaba dispuesta a sentir y vivir ese vaivén tan doloroso de cuando llegas tan profundo en una relación y luego se resquebraja. Así que había decidido seguir con mi vida —ya vivía sola, recuerda— y, si encontraba a alguien en el camino, nos acompañaríamos, ¡pero sin estar pensando en que nos comprometeríamos para casarnos y todo lo demás! No, eso no. No estoy diciendo tampoco que estaría libremente con todo el mundo al mismo tiempo. *Living la vida loca*, tampoco. Tendría, sí, más de alguna relación con alguien que estuviera buscando compañía en libertad para su vida, respetaría la relación y daría lo mejor de mí... ¡pero sin sacrificios, sin dolores, sin dramas, sin celos, sin posesiones y sin obligaciones!

Y, como estaba decidida a no entablar una relación «romántica» bajo ese concepto tan destructivo del amor que hemos comprado, no necesitaba conquistar a nadie, no tenía que quedar bien con nadie, ni aparentar ser algo que no era. Y, por eso, comencé a vivir bajo esas nuevas reglas: compromiso conmigo misma, ser auténtica, no forzar nada ni forzarme a nada, disfrutar estar conmigo, ser mi mejor compañía y no pretender quedar bien con nadie por encima de mí. ¿Lo ves? Yo misma, incluso ahora que lo escribo, lo veo muy claro. Ese extremo que viví en mi propia relación, más el divorcio de mis papás, me hizo terminar de «desencantarme» de las relaciones de pareja y hacerme la promesa de no seguir esas recetas heredadas de amor y de convivencia en pareja. Gracias a que viví una relación que, al final, no resultó siendo tan sana —ni para él ni para mí— llegué a la conclusión de que «estar en pareja debería ser el oasis donde te sientes en libertad». Y así, respetando mi libertad, fue que me topé con otra persona que, a su vez, disfrutaba y respetaba la suya.

Así que, te imaginarás que mi respuesta a si borraría o no ese episodio de mi vida es un rotundo y seguro... ¡no! Primero, porque no habría aprendido a decidir a favor de «la Tuti», no habría cuestionado esos estereotipos de pareja de los que decidí salirme y no habría aprendido a estar conmigo y para mí, como aprendí a hacerlo. Segundo, porque no habría aprendido a perdonar a otros o a mí misma, y a reconocer que yo también tuve una participación desgastante en la relación y, a pesar de todo, hoy puedo voltear a ver la relación y a quien fue mi pareja en ese entonces con cariño y gratitud. Y, tercero, porque no estaría con Carlos y, por lo tanto, no habría vivido todo lo que he vivido dentro de esta maravillosa relación, de esta parte de mi vida que ha sido tan extraordinariamente hermosa y especial... el resto de mi historia hasta donde la conozco. Es decir, ¡claro que no lo borro!

«A nivel personal, he llorado, me he enojado, he reclamado, me he peleado con seres muy queridos, he sentido culpa, me he sentido «mala madre», «mala esposa», «mala hermana», «mala hija», «mala amiga» y «mala líder». He tenido muchísimo miedo a los cambios, me he sentido decepcionada, me he sentido inútil, poca cosa, impotente, fracasada, fea y mil cosas más en distintas situaciones que he vivido en esta, mi «vida imperfecta».»

¿Lo borraría? Recuerda que aún tengo borrador en mano y no es lindo sentir todo eso que he confesado que sentí; no ha sido nada agradable atravesar por muchos de estos momentos y otros que ya no incluí —porque si lo hiciera nunca terminaría el libro—. Es más, a la fecha, sigo experimentando momentos incómodos, dolorosos, tristes, confusos, desgarradores, desesperantes y todo eso que todos experimentamos solo que en distintos escenarios y con otros personajes... ¿los borraría?

Hoy, que he visto para atrás, agarrando con todas mis fuerzas este borrador poderoso para usarlo con total honestidad, no me queda más que devolverlo a su dueño —sí, Aquel que decidió no borrar de mi camino todos esos sentimientos cuando me tocó atravesarlos— y entender que lo que me corresponde hacer ahora es abrazar «mi vida imperfecta». Es más, me dan ganas de escribirle una carta.

La carta que todos deberíamos escribir

Querida *vida imperfecta*:

—Pausa y aclaración: quisiera que conste que esto de «querida» me lo pensé dos veces; ¿realmente es querida o es solo un convencionalismo de las cartas que me enseñaron a redactar? Reviso: cierro mis ojos, inhalo profundo y volteo la mirada a lo escrito.

No, ahora ya no es solo el piloto automático escribiendo «querida» como encabezado de carta de segundo de secundaria cuando recibía mecanografía —mis hijas se ríen cada vez que le llamo «escribir a máquina» a esta acción de escribir sobre un teclado—. Ahora ya es mi corazón que puede verla y sentirla querida. Así que...—

Querida *vida imperfecta*:

Jamás creí que te escribiría una carta y te seré muy sincera, ¡toda esta gente que está leyendo me obligó! Ja ja ja... no es verdad, yo quise hacerlo voluntariamente a raíz de ese último capítulo en que decidí hacer, espontáneamente, un ejercicio de regresar a repasar algunos de los capítulos incluidos en tu versión de mi vida y decidir si los borraba o no; perdóname por ser tan cruda, pero es la verdad, en más de alguna ocasión he querido borrar uno que otro.

Sabes que no ha sido fácil atravesarte, sabes que no ha sido fácil entenderte, sabes que te he querido borrar a veces de mi memoria y hasta te he negado. Y sé que existes porque eres «parte del paquete» que recibí cuando comencé esta aventura de vivir. Sabes que, bajo esta limitada conciencia humana que tengo y, si me hubieran dado la opción, no te habría elegido.

Te diré algo que probablemente ya sabes: no me han gustado muchas de las cosas que has escrito en mi libro de la vida. ¿Viste que en los primeros capítulos del libro escribí sobre «mi vida perfecta»? Por un tiempo te vi como su hermana celosa que, con envidia y rencor —como me pasó a mí con mis hermanas también—, se empeñaba en manchar y molestar a esa otra vida tan bonita y reluciente. Pero, ya no. Hoy te veo a ti no como la hermanastra fea y mala de la protagonista que es todo un primor, sino como la verdadera protagonista. ¡Ya sé, suena raro!

Hoy entiendo que eres las raíces que, ensuciándose, enterrándose y escondiéndose por no ser tan glamurosas como el árbol, permiten que este se nutra y florezca. Te veo como la aguja que atraviesa una tela sin color ni forma para ir hilvanando hermosas flores, aves y figuras, como las que adornan los huipiles de mi país... ¡toda una obra de arte! O como el capullo que podría generar tanta incomodidad en la oruga o como el viento en contra que eleva más los barriletes —cometas— que surcan los cielos.

Mi hermosa vida imperfecta, ahora lo entiendo. ¡No estabas en mi contra, nunca lo estuviste! ¡No estabas celosa ni querías destruir o sabotear mi vida perfecta! Eras las raíces del árbol que crecían en dirección opuesta, no para destruirlo sino para alimentarlo. Eras la aguja que atravesaba la tela, no para dañarla sino para adornarla, para darle vida. Eras el capullo que incomodaba a la oruga, no para matarla sino para transformarla hasta convertirla en mariposa. Eras el viento en contra del barrilete, no para botarlo sino para hacer que volara más alto.

Tal vez, vida imperfecta, he sido injusta contigo y te he llamado «imperfecta» porque no eres la que me ha dado orgullos y motivos para presumir. Quizás te he llamado «imperfecta» porque aprendí a definir mal (P), porque no había entendido que, si esta Tuti que soy hoy existe, es gracias a ti; es más, no había entendido que todo lo que tiene «mi vida perfecta» —esa que me hizo decidir no borrar nada de ti— existe, directa o indirectamente, gracias a ti.

Así que hoy llego a una hipótesis y la quiero compartir contigo, porque tengo muchas ganas de seguirla comprobando a lo largo del camino que tengo por delante aún y es que *no existe vida imperfecta. Lo que hemos llamado imperfecto, tarde o temprano, ¡resulta ser lo perfecto!*

Me comprometo, a partir de ahora, a hacer mi mejor esfuerzo por caminar con esa certeza en el corazón. Aunque también quiero advertirte que es probable que en algunas situaciones, me rebalse la poca visión e ignorancia que sigo teniendo para comprender al ciento por ciento todo eso que tú construyes a tu peculiar manera y te vuelva a llamar «imperfecta». ¡Tenme paciencia!

Al fin y al cabo, yo sé bien que, aunque hoy esté haciendo las paces y hasta te escriba cartas de amor, eso no te hará a ti dejar de ser raíz, aguja, capullo y viento en contra en mi vida. Sé que seguirás trazando para mí subes y bajas, risas y lágrimas, dolores y alegrías, caminos rocosos y prados verdes, porque así viene el paquete de la vida: completo.

¡Gracias! Porque has hecho que mi vida sea perfecta con todo lo que ha llegado y todo lo que se ha ido, con todo lo que he ganado y todo lo que he perdido, con todo lo que he reído y todo lo que he llorado, con todo lo que sale al derecho y todo lo que sale al revés.

¡Es perfecto tener una vida imperfecta!

¿Seguimos caminando?

19

Cuando te toca, aunque te quites y...

No sé si respondiste al título con el complemento de la frase. Si no, aquí te va completa:

«Cuando te toca, aunque te quites; y, cuando no te toca, aunque te pongas.»

Era un día más de grabación del último proyecto de televisión en el que estuve. Como costumbre establecida con mi equipo de producción, mientras yo estuviera arreglándome en mi camerino, llegaría el productor de turno a repasar minuto a minuto el programa que estaríamos por grabar. Sin embargo, ese día era diferente. Producción me había solicitado que, en lugar de los acostumbrados vestidos o conjuntos de pantalón de vestir, llevara un jeans, una blusa cómoda y tenis, y debo confesar que yo soy de esas personas que, si pudieran ir a una fiesta en tenis, lo haría encantada de la vida; así que te imaginarás lo feliz y cómoda que estaba.

Pero eso no era todo. Aquel día haríamos cosas insólitas en el estudio y, para eso, mi productor me estaba dando toda la información necesaria, porque tenía que estar preparada: llegaría un personaje muy intrépido, amante de los deportes extremos, con mil y una aventuras que contar. Por eso, quisimos desarrollar la entrevista de forma original, colgando de arneses frente a una pantalla verde que, en postproducción, se convertiría en una fotografía de un volcán nevado empinadísimo o de algún risco peligroso o del cielo mismo para que pareciera que caíamos en paracaídas, todo desde la comodidad del set de televisión. ¡Sería una grabación divertidísima y yo tenía la mejor disposición de colgarme de un arnés para hacerlo! ¡Oh, sí!

Al momento de hacer las pruebas junto a este personaje, él con su arnés y yo con el mío, comenzaron a elevarnos. —Aquí debo hacer una pausa para apuntar que, durante esa revisión de guion y aspectos técnicos que hicimos en camerino, mi productor me había dicho que los arneses estaban listos pero que el equipo de escenografía e iluminación le había comentado que nunca se había utilizado la parrilla de escenografía para colgar personas, solo luces.— De vuelta a mi historia, en uno de estos tirones para elevarnos, algo tronó en una parte de la parrilla de metal del techo de donde colgábamos. No estábamos muy elevados; pero, por un segundo, se me salió el corazón y se me enfriaron las manos. Igualmente, como buena anfitriona que era y responsable por manejar el nerviosismo de cualquiera de mis entrevistados, quise descargar un poco la tensión que se creó en el estudio por ese ruido con un comentario gracioso: «¡Imagínate! Con todo lo que has hecho en tu vida y te vas a golpear de verdad a medio metro del suelo, en un estudio de televisión.» Todos se rieron, incluyéndolo a él —la risa siempre es un buen descompresor— y con ese mismo sentido del humor él me respondió: «Tuti, he hecho tantas cosas y he estado en situaciones tan extremas en las que realmente sí me he golpeado o he estado incluso cerca de la muerte, que he entendido que cuando me toque, me tocará, aún siendo en un estudio de televisión. Así que tú, relájate.» ¡Me encantó!

¿Ves? Cuando te toca, aunque te quites; y, cuando no te toca, aunque te pongas.

Ahora bien, ¿por qué hablar de esto para hablar de Felicidad? Porque le cerramos la puerta en las narices a la Felicidad cuando nos ponemos a vivir cosas que no nos toca vivir. Y por «ponernos a vivir cosas» no me refiero a que las vivamos en la vida real, me refiero a que nos ponemos a vivir, voluntariamente y hasta con un cierto placer culposo, sucesos horribles, muertes, catástrofes, enfermedades, crisis, problemas y demás porque las creamos en nuestra mente. Sí, imaginamos ese montón de cosas terribles que rozan en tragedia griega y drama shakespeariano, y hasta se nos acelera el corazón, se nos retuerce el hígado o se nos ruedan las lágrimas, cuando en la realidad no está pasando nada, cuando en la vida real no nos está tocando vivirlas.

He sentido un gran alivio cada vez que logro sacarme a mí misma de mis películas mentales de terror para darme cuenta de que estoy sentada en mi balcón tomándome una taza de té mientras me llega una brisa suave en una agradable tarde soleada. Es esa misma sensación que cuando nos despertamos de una pesadilla para respirar profundo y agradecidos recordar que solo fue un mal sueño.

¡Seguro por eso cada vez más personas nos recuerdan que la vida es un sueño, es una ilusión y lo que nos toca es solamente despertar!

Lo que quiero proponerte en este, uno de los últimos capítulos, es que te despiertes a ti mismo(a) más seguido de esas pesadillas que todos tenemos. Nos hemos dicho y hemos escuchado muchísimas cosas sobre la vida: «la vida es dura», «nada es fácil en la vida» o «a la vida se viene a sufrir», por mencionar unas cuantas. ¿Acaso no suenan a pesadilla estas ideas sobre la vida? Pero, ponte a pensar, ¿de verdad eso sucede toda una vida? ¿Los 60 segundos de cada minuto? ¿Los 60 minutos de cada hora? ¿Las 24 horas de los 7 días de la semana de las 4 o 5 semanas de cada mes de todos los años que has vivido? ¡Claro que no! ¿Por qué encerramos toda una vida en una sola palabra o concepto? Nota que la vida es mucho más generosa, está más llena de momentos en que no sufrimos, momentos sencillos y simples, hasta momentos fáciles. No me creas, ¡revisa tú mismo!

Comienza por observar este día que has tenido, por ejemplo. Y cuando digo «día» es probable que pienses en 24 horas. Haz un alto y observa: no has usado las 24 horas, usualmente no usamos todas y cada una de ellas conscientemente. Unas cuantas de ellas las pasaste durmiendo y allí no sufriste, tu cuerpo permaneció en reposo, cargando energías. Así que digamos que el «día» ya solo se reduce a unas cuantas horas. Y, en esas horas, ¿qué ha pasado que te ha puesto a prueba, con lo que has sufrido, con lo que te has molestado? Repito mi pregunta: ¿qué te ha pasado en la vida real que te haya puesto a prueba, con lo que hayas sufrido, con lo que te hayas molestado? Haz una pausa y revisa.

Me atrevería a decir que en la vida real ha pasado muy poco. Es muy probable que las molestias, el sufrimiento, los retos y los enojos estuvieran más en tu mente que en tu realidad. Detente y nótalo. Porque, aunque hubiera sucedido algo realmente duro o doloroso, reconoce que aún estando tú en medio de esa situación, la vida continúa y te sigue dando instantes en que te deja respirar y descansar. ¿Te acuerdas del ejemplo del funeral? ¡Pues algo así!

¡La vida no está diseñada para destruirte! Está diseñada para que la puedas transitar —como el videojuego perfecto de hace varios capítulos— y, en el camino, aprender lo que te toque aprender y trascender. Y, para eso, la vida se va desarrollando de tal forma que podamos encargarnos de la tarea. ¡Somos nosotros los necios que disfrutamos al complicar la situación!

Es como si colaboraras con un famoso chef en hacer un gran pastel. Tu función es preparar cuatro tazas de harina cernida y para eso —que claro que tiene su grado de dificultad— necesitas medirla bien, luego pasarla cuidadosamente por un cernidor o colador para obtener una medida verdaderamente exacta y, finalmente, tener listo este ingrediente para cuando lo requiera el chef.

Estás listo para empezar; pero, mientras sacas los utensilios necesarios para tu tarea, te das cuenta de que el encargado de medir la mantequilla lo está haciendo con las barras y no con las tazas medidoras, así que vas a meterte a su estación para decirle y mostrarle cómo se hace; luego ves que la chica encargada del azúcar acaba de botar un poco sobre la mesa y decides ir a exigirle que limpie su estación; justo entonces notas que el encargado de los huevos se está demorando mucho, por lo que te le acercas para darle todo un curso de cómo romper los huevos eficientemente; y no digamos cuando ves al del polvo de hornear o al de la canela o al que está engrasando el molde... Pero, entonces... mientras tú te encargas de poner todo y a todos en orden, ¿quién está midiendo y cerniendo la harina? ¡El chef te dio una sola función que sí podías cumplir y de manera bastante sencilla, pero tú lo complicaste y la volviste una función casi imposible por meterte en asuntos que no te correspondían!

Byron Katie, de quien he aprendido muchísimo y a quien menciono mucho en mis conferencias y en mi programa de 21 días de transformación[1], lo deja muy claro en sus libros. Ella dice: «Solo puedo encontrar tres tipos de asuntos en el universo: el mío, el tuyo y el de Dios.» Ella explica que, para ella, al decir «Dios» se refiere a la realidad, porque es lo que «es», independientemente de nuestra opinión, deseos o preferencias; la realidad gobierna sobre todo. «Cualquier cosa que esté fuera de mi control, tu control y el control de todos los demás, lo llamo asunto de Dios.» ¡No saben la de problemitas que me ha resuelto esta idea! No es tan fácil de aplicar en un inicio, porque todos tenemos esa fantasía —como el ejemplo del pastel— de que podemos interferir, controlar y hacer que las cosas y las personas cambien... nada más equivocado. Y cuanto antes aceptemos que solo es una fantasía, más sencillo será nuestro camino.

Las preguntas poderosísimas que nos podemos plantear ante cual-

---

1 21 Días para descomplicar una vida complicada. Programa de acompañamiento digital desarrollado por Tuti para transformar patrones de pensamiento, rutas emocionales y creencias limitantes que suelen ser la causa de que percibamos la vida como «complicada» y «difícil».

quier situación que quisiéramos que fuera diferente, pero principalmente ante nuestras películas mentales de terror son estas: ¿asunto de quién es que esto cambie?, ¿qué me corresponde a mí? y ¿de qué me puedo yo encargar ante esto?

¡Lo revelador que es este simple ejercicio! Es poderoso y transformador porque, primero, nos invita a darnos cuenta de que la vida no nos está pidiendo más que unas cuantas cosas mucho más sencillas de lo que imaginamos —no nos está pidiendo que hagamos todo el pastel, solo que nos encarguemos de cernir la harina— y esto nos permite soltar en aceptación todo eso que no está en nuestras manos mientras nos hacemos cargo de *nuestro* asunto, el que sí nos toca; y, segundo, porque nos quita culpas que nos vivimos echando encima y cargamos gratis. Nos recuerda que solo somos los que cernimos la harina y esa es una parte de las muchas otras partes que hacen que la vida funcione como funciona, y que es el «gran chef» el que hace que cada ingrediente, cada preparación, cada mezcla se haga a la perfección: ese es *su* asunto.

Muchísimas personas —y me incluyo— nos hemos torturado mental y emocionalmente por las decisiones de otros, por las acciones de otros, por lo que otros dicen, por lo que sucede en el mundo, por todo eso que no nos corresponde y no es nuestro asunto. A ver, quiero explicar bien lo que escribí anteriormente porque suena a ¡qué me importa que todo el mundo esté mal, si yo estoy bien! O, como diría una amigo: «que se mueran todos menos yo». Pero no, no es ese el sentido.

Lo que sí es asunto mío es aquello en lo que sí puedo generar un cambio, lo que sí depende de mí; pero, como generalmente esto es algo muy pequeño —tipo «mide cuatro tazas de harina»—, nos cuesta identificarlo y aceptar que nuestra función es mucho más pequeña y simple.

Hace unos años hice un videoblog donde aportaba una perspectiva diferente a la pregunta ¿Cómo hacer para gustarle más al otro? y fue interesante hacer una pequeña investigación previa al tema para entender qué me respondería el internet si le hacía esta pregunta. La respuesta fue increíble: millones de artículos de todo tipo en donde daban consejos puntuales y específicos de cómo gustarle más al otro. Todos con la buena intención, quiero pensar, de ayudar a esas almas desesperadas en búsqueda de conquistar a ese ser que tanto les llama la atención, pero sin tomar en cuenta un asunto valiosísimo en este tema y sin proponer a la persona en cuestión hacerse la pregunta secreta y reveladora: ¿asunto de quién es que yo le guste al otro? ¡Pues asunto del otro, por supuesto! Y nosotros poniéndonos de cabeza, cambiándonos el estilo del cabello, aprendiendo a caminar diferente, haciéndonos cirugías, pasando hambre en dietas horrorosas, sufriendo de desamor por algo que no es asunto nuestro. ¡Increíble!

¿Cuál sería mi asunto en este tema del amor? ¡Gustarme yo! Sentirme cómoda conmigo misma, amarme y respetarme como soy para que, en el momento en que a alguien no le guste, no crea que soy yo la que tiene algo que cambiar y me sea más fácil aceptar y entender que no es allí la cosa... y ya... ¡cuánto sufrimiento nos ahorraríamos! ¿Verdad?

Lo mismo pasa con el humor de las demás personas. ¿Cómo hacer feliz a mi par*eja? ¿Qué hacer para mejorar el humor de mi mamá* o mi papá*? ¿Cómo hacer para que mis hijas se quieran más? ¿Cómo controlar el enojo de mi jefe?* ¡No es mi asunto! Y va de nuevo: decir «no es mi asunto» no es sinónimo de «no me importa», mucho menos de que no quiera o sienta afecto por estas personas; es solo reconocer que, por mucho que quisiera e hiciera, no depende de mí que la otra persona mejore su humor, que dos personas se quieran o que alguien controle de tal o cual manera su enojo.

¿Qué me corresponde a mí? ¿Cuál sí es mi asunto? Observar y hacerme cargo de lo que *yo* siento, pienso y hago frente a ese «no soy feliz» de mi pareja o frente a las quejas de mi mamá o mi papá; me corresponde hacerme cargo de cómo reacciono yo frente a un pleito de mis hijas o un episodio de enojo de mi jefe, eso sí que es mí asunto. Mi asunto es lo que yo pienso, siento, comunico y hago ante las circunstancias que se me presentan delante.

¿Y qué pasa ante situaciones del mundo tipo «hay un virus suelto que está contagiando a todos»? ¿Te suena familiar? Hazte la pregunta. ¿Qué te corresponde a ti? ¿Te corresponde eliminar el virus? ¿Te corresponde salvarle la vida a todas las personas que están en riesgo? ¿Te corresponde darle trabajo a todos los que no lo tienen o lo están perdiendo? ¿Qué te corresponde? La vida solo te está pidiendo que midas cuatro tazas de harina; o sea, seguramente te corresponde una mínima porción de todo lo que está pasando. Probablemente te corresponda cuidarte a ti y a los tuyos, no te corresponde hacer que todos los habitantes de tu ciudad se pongan la mascarilla y se cuiden... ¡no es tu asunto! Probablemente te corresponda tomar decisiones sobre tu empresa, si la tienes, pero no te corresponde tomar todas las decisiones de compra de tus clientes... ¡no es tu asunto! Probablemente te corresponda enfocarte en generar ingresos si es que ya no tienes trabajo, pero no te corresponde tomar las decisiones de contratación o de despido de una empresa que no es tuya... ¡no es tu asunto! Probablemente te corresponda ayudar a otros si tienes la posibilidad económica, pero no te corresponde eliminar el sufrimiento o la pobreza del planeta... ¡no es tu asunto!

Sigo sintiendo, cada vez que escribo «¡no es tu asunto!» ante situaciones que podrían ser dolorosas o retadoras para otros, que sueno a mujer descorazonada y lo entiendo perfectamente porque yo misma me he sentido así a veces cuando lo aplico ante estas circunstancias. Así que lo desglosaré y lo pondré con ejemplos específicos para que lo puedas ver con mayor claridad.

Eliminar la pobreza del mundo, la de tu país o incluso la de tu barrio no es tu asunto porque se trata de una situación demasiado grande y compleja como para que una sola persona pueda hacer algo al respecto, ¿estás de acuerdo? Si dependiera solo de ti, ¿no crees que ya habrías hecho algo al respecto y la habrías solucionado? ¿Qué te corresponde entonces ante esto? ¡Generar ingresos para ti! Si tú tienes ingresos, podrás hacerte cargo de ti y de tu familia. Si llegaras a generar muchísimos ingresos, seguramente es que ya estarías generando empleo también para otros y allí seguirías haciéndote cargo de lo que te corresponde y sí es tu asunto ante esa situación grande y dolorosa de la pobreza. ¿La puedes eliminar completa? ¡Claro que no! Pero sí estarás haciéndote cargo de tu partecita del pastel.

Hacer que ya nadie en el mundo se contagie del virus no es tu asunto; que todo el mundo use o no mascarilla y respete las reglas impuestas no es tu asunto. ¿Logras verlo? Lo que te corresponde a ti es tomar tú las medidas que creas necesarias y respetar tú las reglas para cuidarte y cuidar a los tuyos. Esta pandemia nos ha dejado esta lección valiosísima: si te cuidas tú, cuidas al otro. Es recordarnos que la vida no nos ha puesto a cargo de grandes responsabilidades sociales y mundiales, ¡ni siquiera a cargo del otro! Nos ha puesto a cargo de solo una partecita, la que sí podemos manejar y en la que sí podemos influir. ¡Atendamos nuestros asuntos, haciéndonos cargo de lo que nos corresponde!

Puedo elegir atormentarme por el número de infectados y muertes que hay hoy en el mundo —lo que no es mi asunto— o puedo cuidar y agradecer mi salud, sentirme dichosa de poder tener a mi familia hoy y desear a las personas que están atravesando momentos dolorosos que puedan tener la fuerza y la sabiduría para transitar la experiencia. Vivir atormentada por todo eso que no puedo controlar no me hace mejor ser humano. Observa de cerca y nota: cuando estás atormentado por lo que no te corresponde y no es tu asunto, ¿cómo te haces cargo de lo que sí te corresponde y sí es tu asunto? Si tu asunto en este momento es estar en casa respondiendo una pregunta de tu hijo, pero tú estás atormentándote con las noticias del mundo, ¿cómo le hablas a tu hijo? ¿Le pones atención con amor, dedicación y paciencia? Me atrevería a decir que no, ¡porque a mí me ha pasado! Lo más probable es que le respondas mal por el estrés que traes encima, lo más probable es que no lo atiendas con tu 100% de atención y dedicación porque te sientes en peligro, sientes impotencia y frustración… ¡Y todo lo que te tocaba era responder una pregunta de tu hijo!

Te repito una vez más que la vida no está diseñada para destruirte.

Está diseñada para que la puedas transitar y por eso te va dando instante tras instante. Tu asunto es hacerte cargo de este instante que tienes entre manos, te corresponde vivir solo lo que este instante te está ofreciendo. Tú puedes decidir sufrir por lo que ya pasó, por lo que se fue, por quienes no están; también puedes decidir proyectar un futuro aterrador y paralizante por todo lo que puede pasar, todo lo que puedes perder y todo lo que ya no tendrás... o podrías decidir encargarte de este instante, que es lo que la vida te pide. ¿Ves cómo nos gusta complicarnos la vida mientras el «gran chef» solo nos ha pedido cuatro tazas de harina?

¿Qué está más cerquita de la Felicidad: la vida que tengo de verdad o la vida imaginaria que yo me he creado y vivo en mi mente?

20

¿Cómo tener una vida perfecta para ser Feliz?

Entonces, ¿cómo tener una vida perfecta para ser feliz? ¿O puedo ser feliz con esta vida?

Imagino que, a estas alturas del partido, ya está de más dar una respuesta. Pero sí, decidí en este último capítulo invitarte una vez más a que te abras a la posibilidad de recibir la vida, esta que tienes en este momento, como lo que es: ¡la vida perfecta para que seas feliz!

Puede ser que una partecita de ti —ese lado caprichoso que todos tenemos, llamado «ego»— todavía salte para decir algo como: «¡No! ¡Mi vida no es perfecta para que yo sea feliz! Hay muchas cosas que no salen como quiero, muchas personas que no me dejan ser feliz, muchos problemas, muchas carencias, demasiadas preocupaciones y dificultades... ¡Es imposible ser feliz así!»

Sí, sí... esa vocecita puede seguir ahí. Por eso te sugiero que, a pesar de ella, te abras a la posibilidad de contemplar la vida desde esta otra perspectiva; total, si no te gusta lo que encuentras y lo que sientes, puedes volver a escuchar esa vocecita y darle toda la razón, ¡ella estará encantada!

¿No es paradójico que, siendo la Felicidad lo que todos buscamos, somos nosotros mismos los que más nos resistimos a probar ser felices con esta vida que nos tocó? ¡Estamos tan obsesionados con la idea de que la felicidad vendrá solo cuando nuestra vida sea diferente a lo que es ahora, que nos perdemos del regalo de ser Felices con lo que hoy ya hay! Piénsalo.

Lo escribió Edith Eger de manera magistral: «Con qué facilidad se convierte la vida que no vivimos en la única vida que valoramos.»

¡Y vaya si nos gusta catalogarlo y valorarlo todo! Es más, tal vez en esa valoración yace una de las confusiones de cómo vivir la vida. Nos encanta valorar, decir que algo es valioso o no valioso, bueno o malo, fácil o difícil, importante o no importante, ¿verdad? Catalogamos situaciones, personas, experiencias, sucesos y hasta a nosotros mismos, y asignamos un valor: vale mucho, vale poco o no vale nada.

Hace unos años escuché a una mujer llamada Heather Lanier en una conferencia TED titulada: *Bueno y malo, son historias incompletas que nos contamos*. ¡Preciosa! Ella compartía que tenía una hija, Fiona, con ciertas discapacidades físicas e intelectuales. Lo que más me gustó de su ponencia fue cuando compartía el momento en que decidió quitar las etiquetas de lo que era «buena vida» y «mala vida». ¿Quién dice que tener una discapacidad es sinónimo de «mala vida» y quién dice que no tenerla es sinónimo de «buena vida»? Revelador, ¿verdad? Ella entendió que, renunciando a etiquetar como «buenas» o «malas» las situaciones, la discapacidad de su hija, sus circunstancias, sus acciones y todo lo que esto acarreaba, se permitía disfrutar simplemente de lo que tenía enfrente, aproximarse a observar a su hija con curiosidad y asombro por cómo se desenvolvía su vida. Aprendió a alegrarse porque su hija disfrutaba de rodar por la alfombra en lugar de atormentarse pensando que era «malo» que lo hiciera mientras otros niños, a su edad, ya estaban caminando.

Aprendió a celebrar que su hija lograra comunicarse a través de una aplicación en una tableta en lugar de lamentarse porque era «malo» que su hija no hablara como lo hacían los demás. ¡Me encantó!

Y esta historia me invitó a preguntarme si podríamos ser capaces de encontrar razones para fluir con la vida que ya tenemos, esta que nos está tocando ahora mismo, en apertura, en paz y en gratitud en lugar de seguir encontrando razones para creer que no es suficiente, que está mal, que está incompleta, que no es justa o que es imperfecta. Como sugiere Heather: «¿Qué pasaría si esto mismo estuviera pasando pero yo no pudiera catalogarlo como *malo* —y, agrego yo, como *imperfecto*—?» ¡Cambiaría todo!

Por eso me gusta recordar que la vida es vida. Y, al decirlo así, me refiero a que trae de todo. ¡Por supuesto, si la vida está viva! Por eso cambia y se desarrolla, por eso se renueva, tiene ciclos, inicia y finaliza una y otra vez, cambia y lo experimenta todo... ¡está viva!

Pero, ¿qué pasa con situaciones mucho más dolorosas y retadoras? ¿Cómo no ponerles el título de «malas» cuando sentimos que nos están destruyendo o que ya lo hicieron?

Sí, sé que no es fácil quitarles el título. Y digo solo «quitarles el título» porque la propuesta no es que tengan que cambiarlo por el de «buenas». La propuesta es dejar de sentirme obligada a valorarlo todo y ponerle una etiqueta; la propuesta es observar a qué me llama cada situación, con qué me hace sintonizar, cómo me trato, cómo trato al otro, cómo me defino a mí misma cuando veo esa situación o esa parte de mi vida sin el título y el valor que le he puesto.

Regreso entonces a la pregunta. ¿Qué pasa con esas situaciones que han provocado mucho dolor? Aunque cueste verlo y entenderlo, también podríamos intentar quitarles el título y ver qué se asoma.

Te invito a que revises la manera en que te has aproximado a estas experiencias, en qué te has enfocado cuando visitas mentalmente esos momentos de tu vida. Lo que muchos hacemos es voltear a ver esos episodios para seguir echando culpas, para juzgar a otros y a nosotros mismos. Los revisamos para torturarnos y para seguir reforzando nuestro papel de víctimas. Los volteamos a ver para despreciarlos y desear que nunca hubieran sucedido, regresamos para echarle más leña al fuego y confirmar que nuestra vida ha sido mala. Muy pocas veces los volteamos a ver para abrirnos a descubrir a qué nos están llamando.

Irene Villa es una mujer española que sufrió un atentado terrorista junto a su mamá a sus 12 años. Durante este evento, ella perdió sus dos piernas y algunos dedos de una mano; su madre también perdió partes de su cuerpo. En una de sus conferencias, ella comparte que el día en que logró volver en sí y se dio cuenta del gran cambio en su cuerpo y, por lo tanto, en su vida, su mamá le dijo:

«Hija, tienes dos opciones: puedes vivir amargada, sufriendo y maldiciendo a quienes hicieron lo que hicieron —tienes derecho a hacerlo— o decidir que tu vida empieza hoy y llevarla lo mejor que puedas.» Y ella, sin dudarlo, respondió: «Mamá, he nacido sin piernas.» Actualmente Irene es psicóloga, periodista, escritora y deportista de esquí adaptado, formó una familia, creó una fundación y da charlas por el mundo. Y hay una frase hermosa que también comparte: «Si miras al pasado, solo puedes hacerlo de dos formas: perdonando o agradeciendo.» Poderosa, ¿verdad?

Hemos creído que las experiencias y las circunstancias que nos ha tocado atravesar son las que definen quiénes somos y cuánto valemos. ¡Nada más erróneo que creer eso! Si nos ha tocado atravesar dificultades, tener pocas oportunidades, enfrentar conflictos, cosas dolorosas o injusticias, y cualquier otra experiencia que hemos definido como «mala», ¿es que nosotros somos malos y no valemos? ¡Por supuesto que no! Y si nos ha tocado una vida más cómoda y todo lo relacionado con cosas «buenas», ¿será eso garantía de que somos buenos y nuestro valor es superior? ¡Por supuesto que no!

Ninguna experiencia nos define. No somos nuestras experiencias y no somos nuestras circunstancias. Nuestro valor no es determinado por el lugar donde nacimos, por cómo nos vemos, por nuestras creencias, por nuestra altura o nuestro peso, por la ropa que usamos, por nuestros talentos para cantar o bailar, por la cantidad de cosas que sabemos, o por una nota de 100 puntos en física cuántica o de cero en trocitos 2. ¡Eso no puede definir quiénes somos y mucho menos determinar cuánto valemos!

En este maravilloso camino que he recorrido hasta ahora, he entendido que somos mucho, muchísimo más que este pequeño suspiro que llamamos «vida humana» y que experimentamos a través de y gracias a esta materia que llamamos «cuerpo». Somos seres mucho más grandes, lumínicos, sabios y completos que esta breve experiencia de humanos que estamos experimentando aquí en este generoso planeta.

He entendido que este cuerpo, que ahora se hace llamar la «Tuti», es solo un vehículo, un receptor de un ser —por llamarlo de alguna forma— mucho más grande. También comprendo ahora que ni este cuerpo ni todo lo que va experimentando en este plano terrenal tiene el poder de alterar ni un poquitito su verdadero valor, su verdadera esencia, la verdadera «verdad» —valga la redundancia— de lo que ese espíritu que lo habita realmente es. ¡Y todos somos eso!

Escuché hace unos años una explicación preciosa de lo que es esta vida. Y, además de facilitarme un pedacito más de comprensión, tuvo completo sentido para mí. La escuché de Gerardo Schmedling, el colombiano de quien comenté algo en otro capítulo. Una de tantas cosas que me ha gustado de lo que él compartió fue la siguiente analogía de lo que es la vida.

Él compartía la idea de que la vida es como una escuela. El planeta Tierra es la escuela que, como espíritus o almas, hemos elegido para poder aprender —en este nivel tan denso— sobre amor, perdón, bondad, paz, armonía, libertad y respeto, entre otros. El asunto es que no podríamos aprender sobre luz si no existiera la oscuridad. ¿Cómo se manifestaría la luz si hubiera luz por todos lados? ¿Cómo se manifestaría el perdón si no hubiera «ofensa» que perdonar? ¿Cómo se manifestaría la libertad si no hubiera «prisiones» de las cuales liberarnos? ¿Me sigues la idea? Entonces, todo esto «negativo» que existe en el mundo, de alguna manera nos permite buscar y encontrar lo «positivo». La oscuridad nos permite encender la luz.

Quisiera, antes de continuar explicando este tema, decirte algo que él repetía en cada curso, en cada conferencia y hasta en sus propios escritos: «¡No me creas nada!» No te estoy pidiendo que creas ciegamente todo esto que voy a compartirte, lo único que te propongo es que te abras a contemplar este concepto, solo a verlo, así como yo lo hice en su momento. ¿Que si me pareció una locura? ¡Sí, al principio! ¿Que si me resistí alguna vez o me peleé con algunos conceptos? ¡Sigo haciéndolo de vez en cuando! Se trata de que cada uno vaya encontrando su propio camino para ir evolucionando, ¿verdad? Así que no te sientas comprometido u obligado a aceptar o integrar en tu vida esta analogía y esta forma de ver lo «negativo».

¿Es la verdad? ¡No lo sé! A mí me ha funcionado porque me ha permitido comenzar a reconciliar lo que creía irreconciliable; me ha permitido ver que soy capaz de salirme de la trampa de los extremos y, con eso, me liberó del juicio y la culpa; me ha acercado un poco más a la compasión a través de la comprensión; me ha ampliado el concepto de amor y sus manifestaciones, así como este concepto de Felicidad y todas sus formas. En resumen, he aprendido a caminar un poquito más del lado de la paz interior y no porque todo sea paz y amor o todo sea «positivo» en mi vida, no. Sin embargo, desde mi punto de vista y mi experiencia hasta ahora, si estoy en mayor sintonía con la paz, el amor y la Felicidad, mis acciones se encaminan más en ese sentido y, por lo tanto, me siento más cerquita de esa esencia de la que todos somos parte y que trasciende tiempos, espacios y formas, esa esencia a la que a mí me gusta llamarle Dios. Me hace recordar que aquí pertenezco, que soy parte de esa grandeza, que yo soy también esa grandeza.

Entonces, regresando a la analogía de la escuela de la vida, todos estamos aprendiendo de distinta manera y en diferente grado, con distintos maestros y compañeros, en distintos salones de clase, con materias diferentes, con ejemplos y recursos didácticos distintos. ¿Qué aprendemos? Cómo amar, cómo ser Felices y cómo vivir en paz. Y, como mencionaba antes, ¿qué mejor forma de aprender sobre la paz que en un lugar donde se crean tantas guerras? ¡Qué gran reto aprender del verdadero perdón en un escenario donde nos hemos sentido agredidos! ¡Qué apropiado aprender de equilibrio donde no lo hay! ¡Y qué regalo aprender sobre la verdadera Felicidad donde, aparentemente, hay tantos «obstáculos» para encontrarla!

Entonces, a todo eso que hemos llamado «negativo» o «malo», podríamos llamarle más bien «necesario», ¿no crees? Necesario porque nos encamina a aprender sobre algo en particular. Y quiero bajar el ritmo aquí porque, cuando yo escuché por primera vez esto de «necesario», la verdad me brincó un ojo, me dio un vuelco el corazón y mi mentecita comenzó a gritar —sí, a todo pulmón y corriendo por todos lados con los brazos hacia arriba— «¡¿Cómo que necesario? Entonces, ¿hay que estar a favor de las guerras y de las injusticias y de la maldad en el mundo y de los abusos y de todas esas cosas crueles que existen?! ¡¿Qué locura es esta?!» Sí, al inicio yo también me peleé con este concepto, hasta que me abrí a comprenderlo. Que algo sea necesario no quiere decir que me encante que pase, que lo apoye o que esté a favor de que ocurra. No. Que comprenda que algo es necesario es entender que, si pasó, es porque de alguna forma me está abriendo el camino para que yo aprenda algo, para que yo me libere de algo, para que yo me encamine a algo, para que trascienda, para que encuentre algo mucho más profundo.

Y el ejercicio del borrador que hice me mostró esto: si a cada uno de los eventos de «mi vida imperfecta» les sigo llamando negativos o malos, sigo cargando con ellos, seguirán pesando en mi vida y yo seguiré peleándome y resistiéndolos. Si, en lugar de catalogarlos como malos, me abro a entender para qué fueron necesarios, es más probable que encuentre esa respuesta que me facilite aceptarlos como parte de mi historia. Aceptar algo como parte de mi historia no es pretender que debería estar feliz por lo sucedido; aceptar es dejar de necesitar que la historia sea diferente.

Un evento que marcó intensamente una etapa de mi vida fue el asesinato de una tía muy querida. Un ser humano jovial, lleno de vida, joven, madre de varios hijos, con muchos proyectos de vida. En ese entonces Fernanda, mi primera hija, tendría alrededor de un mes de haber nacido. Habíamos comprado nuestra casita en las afueras de la capital de Guatemala y nos encantaba el lugar. Al inicio de nuestra vida juntos en esta linda casita, nos dimos cuenta de que, por las distancias, no podíamos regresar a casa tan fácilmente, así que una vez salíamos —muy tempranito, por cierto— ya no regresábamos a casa hasta la noche. Siendo solo los dos, Carlos y yo decidimos que llevaríamos nuestros almuerzos desde la mañana, para encontrarnos al medio día en algún lugar y compartir ese momento. Así lo hicimos por mucho tiempo, hasta que llegó Fer. Ya con esta personita en nuestras vidas, yo procuraba regresar más temprano y ya no podíamos almorzar juntos todos los días. Lo entendimos y decidimos adaptarnos a esa situación: mientras nuestra hija crecía, tendríamos que separarnos a la hora del almuerzo y a Carlos le tocaría en algunas ocasiones encontrarnos dormidas al volver a casa.

Entonces sucedió. Una madrugada, mientras amamantaba a mi Fer recién nacida recibimos la llamada: le habían disparado a esta maravillosa mujer y había dejado el cuerpo. A todos en la familia nos conmocionó este hecho. ¿Cómo no? Y a Carlos y a mí nos impresionó muchísimo porque, ahora siendo papás, esa conciencia de que no tenemos asegurada la vida pesaba de manera diferente. Una noche, después de este suceso, nos sentamos a conversar y decidimos hacer un cambio en nuestra vida. Amábamos nuestra casita fuera de la ciudad, pero el traslado a nuestros trabajos nos estaba quitando tiempo para compartir juntos. No habíamos terminado de pagar la casa; apenas estábamos comenzando un camino de 20 años de deuda. ¡Era una locura seguir pagando casa e irnos a alquilar un apartamento más cerca de nuestros trabajos; no podríamos ahorrar ni un centavo! Pero ese suceso nos hizo dar el paso y tomar la decisión. Íbamos a aprovechar la vida que sí teníamos para darle a nuestra familia todo el tiempo que pudiéramos. ¡Queríamos estar para ella y para nosotros, todo lo que pudiéramos! Y el ritmo de vida que habíamos decidido llevar no nos lo estaba permitiendo. Y, aunque no nos gustaba del todo, habíamos decidido adaptarnos a él.

Si no hubiera venido este incidente, nuestra vida entera sería otra. Entonces, si encierro todo este suceso como «negativo», me pierdo de abrirme a reconocer cuánto aportó y determinó en mi vida y la de mi familia. Sin embargo, tampoco podría encapsularlo como «positivo», porque también trajo dolor, ausencia, cambios drásticos para la vida de mis primos, de mi tío y del resto de la familia. Pero, si doy un pasito atrás y me pregunto para qué fue necesario esto, recibo una invitación a reflexionar cómo me impulsó a redirigir mi vida, hacia dónde me apuntó para que mirara, a qué me llamó y me sigue llamando. Y este mismo suceso, para cada uno, estoy segura, ha sido un llamado distinto.

Si ante alguna situación de estas «negativas», regreso a mí misma para planteármela con la pregunta de para qué ha sido necesaria esta experiencia en mi vida, tal vez logre comprender con mayor claridad hacia dónde me encamina, qué me enseña, a qué me invita y qué me muestra.

Con esto del virus del año 2020 y todos los cambios que la pandemia ha acarreado a todo nivel, tienes el escenario perfecto para hacer el ejercicio de no catalogar nada como positivo o negativo sino solo preguntarte para qué ha sido necesario en tu vida.

Conozco a personas que han recuperado su salud gracias a que dejaron de mantener un nivel de trabajo tan estresante, otras que han aprendido a valorar más a su familia y a acercarse a sus seres queridos de otra manera, algunas que perdieron su trabajo y se lanzaron a emprender, otras más que aprendieron a estar solo con ellas mismas, personas que decidieron ver de frente la mala relación de pareja que tenían y hacer algo al respecto, varias que han redefinido el valor de la dicha y la felicidad, y muchos más ejemplos así. Y estoy segura de que tú también has respondido algo con esta pregunta.

¿Para qué ha sido necesario este virus en las sociedades? He visto, más que nunca, grupos que proponen implementar nuevos modelos económicos, sociales, educativos, de transporte y mucho más.

¿Para qué ha sido necesario este virus en el planeta? He visto cómo, ante nuestros ojos y en apenas un par de meses, la naturaleza se comenzó a limpiar y regenerar a sí misma, muchos vimos cómo los animales volvieron a sentirse seguros para ocupar algunos espacios que nosotros habíamos acaparado; yo misma he valorado de manera distinta el regalo de poder estar al aire libre y, mejor aún, rodeada de naturaleza.

¿Lo ves? Cuando le das una pequeña cabida a esta otra postura y observas lo que sucede no como bueno o malo sino como necesario, te abres a aprender, a descubrir cómo te están guiando a que te conectes un poco más con tu verdadero ser, con un camino y con tu verdadera esencia para que te enfoques en trascender.

Entonces, si todo lo que sucede en mi vida es necesario para que mi espíritu aprenda en esta escuela, ¿a qué me está llamando, a qué me invitan mi propia vida y mis experiencias personales —insisto, sin llamarlas positivas o negativas—? ¿Me llaman a perdonar de verdad? ¿Me llaman a apoyar a otros? ¿Me llaman a que transforme o que acepte algo? ¿Me están invitando a que me trate diferente a mí misma o a otros? ¿Me están permitiendo reajustar mis prioridades? ¿Me empujan a tomar decisiones? ¿Me están ayudando a encontrar mi verdadero valor? ¿Me invitan a aceptar que soy capaz de seguir adelante con mi vida sin importar las circunstancias? ¿A darme otra oportunidad? ¿A amarme como soy? ¿A soltar? ¿A entender que mi paz y mi felicidad ya están conmigo? ¿A vivir a colores a pesar de los grises?

Si reconozco que no soy este cuerpo ni esta experiencia de vida en la Tierra, si reconozco que soy mucho más y solo estoy atravesando esta experiencia en este cuerpo para aprender algo más, ¿no es acaso esta escuela perfecta para aprender todo lo que tengo que aprender?

Entonces, ¿cómo tener una vida perfecta para ser feliz? O, ¿puedo ser feliz con esta vida?

¿Acaso no es perfecta esta vida que te anima a descubrir quién eres de verdad por sobre todas las «imperfecciones», más allá de tu historia y de tus circunstancias? ¿No es perfecta esta vida que te invita a dejar de desear una «vida perfecta» para ser Feliz?

Epílogo

Asómate a la ventanilla

¡Estoy terminando de escribir mi segundo libro! Es septiembre de 2020 —sí, el famoso año de la pandemia por el COVID-19, el año de la «pausa mundial»— y encontré este texto que escribí hace un poquito más de un año al volver de un viaje; me pareció lindo utilizarlo como epílogo para esta segunda aventura en la que me exploro como autora.

Junio de 2019

Estoy sentada en un avión a punto de despegar de Bogotá para volar de regreso a mi querida Guatemala y voy en ventanilla, lugar preferido de mis hijas y de mi niña interior.

Ayer estuve compartiendo en una convención de aproximadamente 1,500 emprendedores y el tema de mi conferencia fue «Psicología de la felicidad como combustible para el emprendedor».

Debo confesar que, al momento de recibir la invitación para compartir un tema en una convención de emprendimiento, lo dudé. Desde mi perspectiva, el tema de emprendimiento —tan de moda— nos ha hecho sentir a algunos fuera de lugar. ¿Por qué? Porque, si bien todos emprendemos en la vida —intencionalmente o no, emprendemos procesos, etapas, nuevos retos, proyectos, aprendizajes, nuevos años, nuevos propósitos, nuevas metas y demás—, la palabra «emprendimiento» la hemos limitado principalmente para referirnos a aquellas personas que arrancan con una empresa o negocio. Entonces, el emprendimiento resultó, desde mi perspectiva, algo que tiene que ver más con ideas que deben concretarse, con sueños económicos que deben cumplirse, con conocimientos que deben adquirirse, con resultados que deben lograrse, con números, con alcance, con expansión y con muchas cosas más que tienen que ver con desarrollo económico y empresarial; y, de alguna forma, en mi cabeza se emparejaron casi por completo las palabras y los significados de «emprendimiento» y «negocio». Así que, en general, no somos considerados emprendedores si no tenemos una empresa o negocio. Y, entonces, esto del emprendimiento —insisto, desde mi perspectiva— se volcó demasiado a la producción, a la productividad, a la eficiencia, a los números, al *networking* —que me parece que también ha sido llevado al extremo por algunos que quieren conocer personas para ver en qué nos pueden servir, cómo nos pueden favorecer y cómo podemos utilizarlos a nuestro favor, dejando por un lado la magia de conocer a alguien por el simple placer de enriquecernos, de ver en qué les podemos servir y de acompañarnos... en fin—.

No quiero que parezca que estoy peleando con los emprendedores o empresarios, ¡para nada! A mí también me han llamado emprendedora y empresaria, y también he usado yo misma esos títulos al presentarme en algunas ocasiones. Solo quiero exponer mi perspectiva para que me entiendan cuando les comparto que, al recibir esa invitación a exponer en este evento, me sentí un poco fuera de lugar. ¿Qué iba yo a aportar a un grupo de personas que estarían todo un día en una convención para emprendedores? ¿De qué hablaría frente a quienes estaban esperando escuchar temas que los apoyaran a crecer más, a expandirse, a lograr sus metas financieras o mercadológicas, y qué se yo qué más cosas enfocadas en su negocio? ¡Si yo lo que hago es hablar de transformación personal, de procesos internos, de trabajo y de reflexiones enfocadas en la vida hacia adentro que muchas veces cuestionan y replantean la vida que llevamos afuera! No resonaba. ¿Y si desentono? ¿Y si no es lo que los organizadores esperan de mí? ¡Ah, sí! Mi cabecita también salta con inseguridades como esas.

Lo planteamos a los organizadores y les explicamos que mi trabajo no iba enfocado al crecimiento de la empresa, sino a trabajo y procesos internos, y que nos encantaría participar si nos permitían seguir con esta línea. Así lo hicimos y surgió entonces el tema de «Psicología de la Felicidad como combustible para el emprendedor», un título que se le ocurrió a Carlos. Ahí pude darle sentido, entendiendo como «emprendedor» a cualquier persona que emprende no necesariamente un negocio, sino cualquier proceso en la vida, sea enfocado en la economía o no. Así que, para el propósito de mi conferencia, emprendedores éramos todos.

Antes de comenzar con la conferencia —yo sería la primera entre seis expositores— estuvimos hablando con un personaje súper simpático, inteligente y amable que resultó ser uno de los grandes ejecutivos de la institución que organizaba el evento, encargado de la expansión hacia otros países. Cuando me preguntó sobre el tema del que hablaría y se lo comenté, me preguntó si ya había leído el libro «El algoritmo de la felicidad» y me sugirió que lo hiciera. En ese mismo momento, Carlos lo buscó y lo descargó a mi Kindle. Así es como, al momento de sentarme en este vuelo de regreso, comencé a leerlo.

En los momentos en que pude compartir y conocer a otros conferencistas, así como en los que pude escuchar algunas de sus interacciones con otras personas y entre ellos, entendí que eran personajes que se manejaban en un muy alto nivel. Uno comentaba que era presidente de varias empresas; otro mencionó algo sobre los cientos de miles de dólares que facturó en cierto periodo de tiempo; otro narraba sus experiencias vividas con sus amigos, que resultaban ser figuras importantísimas y reconocidas de los negocios y la política a nivel mundial; otro hablaba de los cientos de viajes y eventos que realizaba en un año... y así, compartían muchas más cosas de sus vidas de empresarios exitosos y reconocidos. Tengo que aclarar que nunca percibí la conversación como si estas personas estuvieran buscando lucir sus trofeos o demostrar lo importantes que eran, no. Todos eran personas muy cordiales, divertidas y amistosas que, entre sus anécdotas y conversaciones, mencionaban los temas no como los datos relevantes de la conversación, sino como un detalle dentro del punto que estaban abordando. No percibí alguna intención de presumir y me pareció que se trataba de personas muy abiertas a compartir sus conocimientos y herramientas.

Sin embargo, en la noche, cuando Carlos y yo volvíamos a la habitación del hotel, mi mente daba mil vueltas y, mientras una parte de mí pensaba que nos falta mucho por crecer, otra parte decía que el crecimiento no me hace ni más ni menos valiosa. Y mientras una cuestionaba si deberíamos pensar más en grande y trabajar para expandirnos más para que más personas conozcan nuestro trabajo y que tenga un mayor impacto, la otra replicaba con un «¿más grande en comparación con qué?» y sostenía también que, si la vida aún no nos daba más para abarcar, ¿por qué íbamos a afanarnos y presionarnos para llegar a más, crecer más y expandirnos más? También recordaba que estamos en esta «carrera de ratas», como diría Tal Ben Shahar, porque creemos que lo que nosotros tenemos no es tan grande, tan llamativo, tan importante, tan bueno o tan satisfactorio como lo que tiene el vecino. Entonces la primera preguntó: «¿No es muy conformista esa visión? ¿No será que todo eso que compartí en la conferencia sobre la importancia de la Felicidad —con mayúscula—, sobre el éxito, la productividad y el trabajo está equivocado?» Y la otra repuso: «Esa es la trampa que nos manipula para hacernos creer que somos mediocres y conformistas —palabras castigadoras— por reconocer como valioso, importante y satisfactorio lo que ya somos, lo que ya hacemos y lo que ya tenemos, aunque no tenga las mismas dimensiones que lo que creemos que son, hacen y tienen los otros.»

Carlos notó mis pensamientos y me preguntó si estaba bien y en qué estaba pensando. Le compartí estas ideas que se enfrentaban en mi mente y me dijo: «Si creemos que quien piensa en grande es más astuto, más inteligente, más valiente, más importante o más valioso que quien no lo hace, hemos llegado a creer que solo los que piensan en grande cuentan; nos hemos tragado el cuento de que, si no piensas en grande, nadie te notará o no te sentirás *alguien*, ¡como Chava Iglesias!» dijo para rematar su comentario. Solté la carcajada. Chava Iglesias es un personaje de la serie *Club de Cuervos* quien, tras la muerte de su papá, debe hacerse cargo de los negocios junto a su hermana y siempre está intentando sobresalir y demostrar su valor con sus «grandes» ideas. Y, si bien, me dio mucha risa su comparación, porque el personaje es fenomenal, me tranquilizó: tenía un punto muy válido.

Hoy que arranco a leer el libro de «El algoritmo de la felicidad», bastaron las primeras dos páginas para captar mi atención y decidirme a escribir sobre el tema. El libro cuenta la historia verdadera de un exitosísimo empresario que se muda a Dubái con su familia y reconoce que todo el dinero que gana, todo el reconocimiento que logra y todas las cosas que consigue lo hacen... infeliz.

El autor nota cómo todos sus esfuerzos de aprendizaje, de rendimiento y de perfeccionamiento los enfocaba hacia crecer más, ser más grande y poderoso, y lograr más. Y, mientras más lo hacía, peor se sentía y entonces se esforzaba el doble por crecer más, ser más grande y poderoso, y lograr más. Así caía en un círculo vicioso, ¿o será un *vacío* vicioso? «Descubrí que, cuanto mayor era mi fortuna, menor era mi felicidad... cuanto más dinero ganaba, más desgraciado me sentía» escribe en sus primeras páginas.

Y hubo un párrafo en especial que llamó mi atención: «La extravagancia de la riqueza concentrada resulta cegadora, pero al mismo tiempo te hace preguntarte si, comparado con todo eso, en realidad has logrado algo. Cuando llegamos a los Emiratos Árabes, yo ya había adquirido la costumbre de compararme con mis amigos multimillonarios y siempre me encontraba en desventaja. Sin embargo, esta sensación de inferioridad... me hizo esforzarme más.»

Si bien este «esforzarse más» podría ser visto como algo positivo y como combustible para poder escalar más alto y desarrollarnos más, debemos reconocer que, en la mayoría de casos —y es el caso del autor también— este esfuerzo extra es no solo para alcanzar más sino también para *sentirnos* más. Pero, ¿más qué? Pues más valiosos, más poderosos y más importantes. Buscamos alcanzar más con la idea errónea de que ese sentimiento de inferioridad desaparecerá si somos capaces de «estar a la altura» y, estarás de acuerdo conmigo, generalmente esa altura no la medimos por sentimientos, valores o paz interior; la medimos por números, por apariencia o por fama.

Entendí que todos, sin importar nuestros círculos, nos vamos a encontrar con personas que tienen otros niveles de vida, otras posibilidades adquisitivas, otras formas de transportarse, de vestirse, de producir y demás. Y, como dice el autor, la extravagancia de la riqueza material deslumbra y nos hace dudar de nosotros mismos, nos despierta sentimientos de inferioridad al punto de llevarnos a dudar si realmente estamos dando nuestro 100%, a lo que probablemente responderemos que no porque aún no hemos logrado lo que esa otra persona, con quien nos comparamos, ha alcanzado. Y, así, asociamos esa diferencia en valores materiales con una diferencia en valor personal y reforzamos la idea de sentirnos inferiores. *Y, como nadie quiere sentirse inferior, buscamos constantemente qué podemos hacer para no sentirnos así.* Vuelvan a leer esa última oración que aparece en cursiva. ¿Ya? ¡Pues lo enfocamos mal! Creemos que haciendo más y consiguiendo más, sentiremos menos ese vacío.

Me gusta una frase que escuché en un video del Dr. David R. Hawkins, donde habla sobre lo verdaderamente importante. «No es lo que has logrado, es en lo que te has convertido.» Es una de mis frases favoritas de la vida y la compartí en la conferencia que recién impartí en Bogotá, porque nos invita a abordar la vida, nuestras acciones, nuestras metas, nuestros sueños y nuestra cotidianidad de una forma diferente;

no desde los ojos de los demás, sino desde nuestros propios ojos; no desde el resultado, sino desde el proceso interior.

El autor del libro cuenta en este primer capítulo que, mientras él se enfocaba en tener cada vez más logros materiales, intelectuales y laborales, notaba cómo se convertía en una persona agresiva y desagradable, se tornaba exigente, estresado, nervioso, crítico e infeliz. ¿De qué le servía todo eso que acumulaba y alcanzaba si vivía en amargura y enojo?

Y es precisamente entonces, al observarnos con nuestros propios ojos, cuando podemos notar no qué vivimos, sino cómo lo vivimos; no qué hacemos, sino cómo lo hacemos; no qué conseguimos, sino cómo lo conseguimos; y no qué logramos, sino en quién nos convertimos mientras trabajamos por lograrlo.

...

Voy sentada al lado de la ventanilla, como en muchísimas ocasiones me ha tocado. No puedo recordar con certeza hace cuánto dejé de asomarme a la ventanilla, aunque tuviera el privilegio de tener ese lugar. Tal vez fue al convertirme en mamá y ceder este asiento a mis hijas o tal vez al comenzar a viajar más a menudo y creerme el cuento de que, como viajo tan seguido, ya debería acostumbrarme a esto y no parecer una novata asomada como perrito a la ventanilla; tal vez fue cuando me puse este traje de adulto o de profesional, no lo sé. El hecho es que los acontecimientos del fin de semana y las reflexiones que surgieron a partir de todo esto que les comparto, hoy hicieron que me preguntara: «Mientras tengo el privilegio de viajar en avión y, además, de ir sentada junto a la ventanilla... ¿en quién me he convertido?» Y no es que sea una pasajera insolente, prepotente, negativa y amargada, no. Pero noté que me estaba convirtiendo en ese estereotipo de la clásica persona que viaja tanto que ya no se deja sorprender por nada de la magia de volar; estaba dejando a un lado a la Tuti de mi niñez, esa que ama asomarse a la ventanilla para llenarse los ojos de asombro; estaba queriendo hacer caso omiso a esa maravillosa sensación de vacío en el estómago al despegar y reprimía un poco esa sonrisa que inevitablemente me sale cuando comienzo a ver el mundo alejarse y volverse pequeñito.

Hoy ha sido diferente, maravillosamente diferente. Me senté en el asiento asignado, saqué mi libro para comenzar a leerlo y, como dije al inicio, apenas llevaba un par de páginas cuando terminé de aclarar mis pensamientos y me hice esa importantísima pregunta: ¿en quién me he convertido mientras voy en un avión sentada al lado de la ventanilla? Suena muy simple, lo sé, pero hasta en las situaciones más simples la pregunta es poderosa.

Sí, la vida me está dando el regalo de llegar cada vez a más personas, la gente amorosa de distintos lugares del mundo me está dando la oportunidad de hablarle de cerquita a través de los videoblogs, de compartir mensajes a través de mis redes sociales, me da el honor de su presencia en mis conferencias y hasta —como tú ahora— lee mis libros; y, aunque esto para muchos —incluyéndome— pueda llamarse «crecimiento» o un «logro», quiero recordar que el mérito más grande está en cultivar quién quiero ser mientras sigo trabajando y esforzándome por caminar este trayecto. Porque tal vez algún día deje de viajar o ya no imparta conferencias, ¡no lo sé! Lo que sí sé es que, no importando las circunstancias, vaya en avión viajando por el mundo o me encuentre en casa sin poder salir, no quiero dejar de poner atención a quién elijo ser frente a esas circunstancias.

Mis logros pueden parecer grandes a comparación de los de algunos y también pueden parecer pequeños o hasta insignificantes a comparación de los de otros. ¿Eso me hace más o menos que las personas con quienes me comparo? ¡No! Solo me hace ocupar un lugar diferente, pero igualmente valioso, en este rompecabezas de la vida. No es sano evaluar nuestro valor por lo que tenemos, logramos o alcanzamos; ni tampoco es sano evaluarlo a partir de los reconocimientos, aplausos, títulos o —en esta época de comunicación masiva— de seguidores y *likes* que otros nos dan. ¡Es absurdo hacerlo! No es sano creer que la Felicidad —con mayúscula— está reservada solo para los que consiguen más, ganan más, viajan más, tienen más, emprenden más o piensan más en grande; pero esta perspectiva sigue siendo una trampa que nos salta cuando menos lo imaginamos, sobre todo cuando nos enfocamos en las diferencias que tenemos con otros. ¿Por qué no enfocarnos en lo que todos tenemos por igual? Lo que a todos se nos ha dado por igual es vida. ¿En quiénes nos convertimos con esta vida que se nos ha dado con las muchas o pocas herramientas, con las historias fáciles o difíciles que nos han tocado, con abundancia o escasez, con todas las oportunidades de desarrollo o con ninguna, con paz o con guerras? Eso es lo verdaderamente relevante.

Cuando el avión avanzó hacia la pista de despegue, dejé por un lado mis escritos, acomodé bien mis anteojos y recordé que quiero seguir siendo alguien que no pierde su capacidad de asombro, alguien que no da las cosas por sentado; quiero ser alguien que agradece por lo simple y ve grandeza en lo pequeño, quiero ser alguien que valore todas las experiencias, alguien que se emocione porque vive el milagro de la vida venga como venga. Quiero ser alguien a quien no le importe lo que otros piensen acerca de cómo me debería de ver, cuánto debería de tener o cuánto me falta para ser una «viajera frecuente»; al fin y al cabo, vayamos o no en avión, nos toque o no ir en ventanilla, todos lo somos en esta vida, ¿no? Quiero ser alguien que siempre encuentra razones para sentirse agradecida y dichosa, alguien que permite que la Felicidad la acompañe en cualquier circunstancia, sin condiciones, sin pretextos.

El avión avanzó y la fuerza de aceleración hizo que mi cuerpo se pegara al respaldo del sillón; en mi abdomen apareció ese vacío tan característico de los despegues. Cerré los ojos para contactar con la Tuti pequeña que se asombra y emociona por todo y me dije en pensamientos: «¡Voy a volar!» No necesitaba una ventanilla para disfrutar del viaje, así como no necesito de una vida llamativa, ocupada, glamurosa o «perfecta» para ser Feliz.

En el momento en que decido quién quiero ser frente a lo que estoy viviendo —sí, con todo y eso que hemos mal llamado imperfecciones—, me doy cuenta de que ese instante está diseñado para que yo descubra un escenario más en el cual también puedo aprender a dejar que la Felicidad se cuele y me acompañe. Todo lo que tengo que hacer es vivir lo que me toca vivir con la mejor disposición, con el corazón abierto y con la certeza de que este episodio —así de simple o complicado como es— está diseñado para mí y juega a mi favor.

Abrí los ojos y me asomé —sí, como perrito— a la ventanilla. El mundo se hizo pequeñito. La Felicidad brincó en mi corazón y sonreí.

¡Gracias por esta vida perfecta para ser Feliz!

Bibliografía

Autor desconocido. (2012, mayo 23). Una mujercita con suerte. *Las 12 del reloj.* Recuperado de https://lasdocedelreloj.wordpress.com/2012/05/23/una-mujercita-con-suerte/

Ben-Shahar, T. (2007). Happier. *McGraw-Hill.* Estados Unidos de América.

Boff, L. (1989). Teología de La Liberación: Recepción creativa del Vaticano II a partir de la óptica de los pobres. Páginas 9-39. *Ediciones Paulinas.* Extraído de https://es.wikipedia.org/wiki/Teolog%C3%ADa_de_la_liberación

Bradt, S. (2010, noviembre 11). Wandering Mind Not a Happy Mind. *The Harvard Gazette.* Recuperado de https://news.harvard.edu/gazette/story/2010/11/wandering-mind-not-a-happy-mind/

Brown, B. (2007). I Thought It Was Just Me. *Gotham Books. Penguin Group.* Estados Unidos de América.

Corbera, E. (2018). Emociones para la vida. *Grijalbo: Penguin Random House.*

Dalai Lama (2020, 21 de agosto) Twit recuperado de @DalaiLama https://twitter.com/DalaiLama/status/1296741182018486272?s=19

Eger, E. (2018). La Bailarina de Auschwitz. *Planeta.* 1ª edición electrónica. España.

Gawdat, M. (2018). El algoritmo de la felicidad. *Editorial Planeta/Editorial Diana.* México.

Gilbert, E. (2016). Eat Pray Love. Edición de 10.° Aniversario. *Riverhead Books. Penguin Random House.* Estados Unidos de América.

Hawkins, D. (2014). Dejar ir: el camino de la liberación. *El grano de mostaza.* España.

Katie, B. (2002). Loving What Is. *Random House.* Estados Unidos de América.

Lipton, B. (2008). The Biology of Belief. *Hay House.* Estados Unidos de América.

Sabater, V. (2020, 11 de septiembre). La leyenda Cherokee de los dos lobos o nuestras fuerzas interiores. *La mente es maravillosa.* Recuperado de https://lamenteesmaravillosa.com/la-leyenda-cherokee-de-los-dos-lobos/

Smith, E. (2017). The Power of Meaning: Finding Fulfillment in a World Obsessed with Happiness. *Broadway Books. Crown Publishing Group. Penguin Random House.* Nueva York, Estados Unidos de América.

Tolle, E. (2004). The Power of Now. *Namaste Publishing Inc.* Canadá.

Villa, I. (2018, octubre 29). Cuando ser fuerte es la única opción. *Aprendemos juntos BBVA.* Video recuperado de https://youtu.be/FLTRgs3k_Mk

Willy StudyYourself. (2016, enero 3). David R Hawkins - What Can We Do to Change the World? Video recuperado de https://www.youtube.com/watch?v=2immPBX96BI

Un último favor

Antes de que cierres este libro, te quiero pedir un favor, ¿se vale? ¡Sigamos en contacto!

Aquí te dejo mis redes, las cuales puedes mencionar si quisieras hacer algún comentario sobre qué te pareció el lib ro:

Fb: @tutifurlan
Instagram: @tutifurlan
Twitter: @tutifurlan

Y, si quisieras seguir avanzando en este camino del autodescubrimiento, de la verdadera felicidad y de transformar tu vida, ¡permíteme acompañarte! ¿Cómo?

Ve a www.tutifurlan.com y allí encontrarás materiales gratuitos, así como programas diseñados para profundizar más en tu proceso y enriquecer tu camino.

Y si quisieras información específica escribe a: info@tutifurlan.com donde un miembro de mi equipo te ayudará.

¡Desde ya, te doy la bienvenida a mi comunidad!